隣りの女

向田邦子

文藝春秋

目次

短篇小説集

隣りの女

発表誌　隣りの女　「サンデー毎日」昭和56年5月10日号
幸　福　「オール讀物」昭和55年9月号
胡桃の部屋　「オール讀物」昭和56年3月号
下　駄　「別冊文藝春秋」昭和55年153号
春が来た　「オール讀物」昭和56年10月号

単行本　昭和56年10月　文藝春秋刊
文　庫　昭和59年1月　文春文庫（旧版）
（本書は右文庫の新装版です）

この作品の中に、現在では差別的表現とされる箇所があります。しかし、著者の意図は決して差別を容認、助長するものではありませんでした。また、作品の時代的背景及び著者がすでに故人であるという事情にも鑑み、あえて発表時のままの表記といたしました。
（編集部）

隣りの女

ミシンは正直である。

機械の癖に、ミシンを掛ける女よりも率直に女の気持をしゃべってしまう。いつものあの声が聞えてくる頃合だから、あんな声なんか聞きたくないから、いつもの倍も激しくガーと掛けなくてはいけないと思っているのに、ミシンはカタカタカタとお義理に音を立てている。

自分の気持を見すかされているようで、サチ子は嚙みつくように激しく掛けた。これたところで、どうせ借りもののミシンである。下請けのブラウスは一枚上げれば千二百円になる。ちゃんと月給を運んでくる夫がいるのだし、まだ子供もないのだから、アクセクすることはないのだが、遊んでいても勿体ない。貯金も増やしたい。そう思いながらもサチ子はうしろの壁が気になって仕方がない。

二DKのつましいアパートである。居間兼食堂の六畳の、ちょうどミシンを踏んでいるサチ子の背にあたる白い壁に、泰西名画がかかっている。勿論複製である。声はいつもそのうしろから聞えてくる。

いきなり激しい音がした。ガラスの器かなにかを壁に叩きつける音らしい。男と女の争う声がそれを追って聞えた。サチ子のミシンは、ひとりでにゆるやかになっている。

「ふざけるなよ」

「シオドキってのはどういう意味だ」

「誰なんだよ」

「ぶっ殺してやる」

これは男の声である。

「乱暴するんなら出てってよ」

「そんな人、いないわよ」

「なにすンのよ。離して」

女の声も激してくる。

もみ合う気配がして、

「ガラス、あぶないでしょ」

女の声が甘える調子になってゆく。

サチ子はミシンを離れ、壁ぎわに近づいて耳をすませた。

「ねえ、ガラス、あぶない」

「大丈夫だよ」

「あぶないったら」

「峰子」

「ノブちゃん」

峰子というのは、隣りの部屋に住むスナックのママの名前であり、ノブちゃんはこの間から通ってくる現場監督風の若い男である。太いしわがれた声は三日にあげず聞いているのですぐ判る。

二人の荒い息づかいが喘ぎになり、やがて壁はかすかに揺れはじめた。サチ子は自分が隣りの息づかいに合わせて呼吸をしているので少しおかしくなった。からだがほてっているような気がするが、これは隣りのせいではない。ぼつぼつ夏物に切りかわる陽気のせいだと思いたい。

そこまではいいとして、おかしな格好にからだをねじ曲げ、壁にはりついて隣りの気配に耳をすませている自分の姿がミシンの横の姿見に写っているのにはびっくりした。はね起きて、壁の絵を直した。別に曲っていないかも知れない。だが、直すのが癖になっていた。

買物籠を抱えてドアの外に出ると、足許にポリ袋に包んだゴミがあった。隣りのママが自分のドアの前に置いたのが風で転がって来たらしい。サチ子は指先でつまんで隣りのドアの前にほうり出した。同じゴミでも、隣りのうちのは殊更に汚ないような気がする。

大した緑もないのに、通りは青葉の匂いがした。ムッとした青くさい匂いよりも、こういうときは花の匂いが嗅ぎたいとサチ子は思った。たしか去年は、アパートを出たあたりに木犀《もくせい》の匂いがあったような気がするが、このあたりも一年一年、庭つきの住まいや空地が消えて、マッチ箱を積み上げたようなアパートに変ってゆく。

サチ子のアパートは西武池袋線大泉学園駅から歩いて五分である。三多摩へ出る気なら団地だって何とかなったのだろうが、夫の集太郎が、通勤は一時間以内でないと「差しつかえる」と渋るので、安くない家賃を払っている。差しつかえるというのは、出世なのか、夜のつき合いなのかその辺ははっきりしないのだが、いまのところは夫婦二人きりなので、赤字はサチ子の内職でなんとかやっている。

肉屋は横目でにらんで魚屋に入り、鯛のアラを一皿買った。二皿ならんだのを慎重に見くらべて包んでもらう。同じ年格好の主婦が連れている二歳半かそこらの男の子の頭をなでて、笑いかけた。あのとき生れていたら、このくらいになっていたんだなとつい考えてしまう。暮のボーナスが出るまでと共働きをしていたのだが、勤め先の冷房にやられたのか流産してしまったのだ。絶対に男の子だったような気がして、あの当座は男の赤んぼうを見るのが辛かった。

三十前に第一子を、と実家の両親にも言われ、からだをこわしたのをしおに勤めをやめて、いわば「子供待ち」の毎日である。

本屋もレコード屋も素通りで八百屋へ入る。本を買うこともレコードを聞くことも滅多にない。夫の集太郎も同じである。

春菊と生椎茸をつまみあげ、赤いガマロから八つに折った千円札を出した。八百屋のしみの浮いた鏡に、サチ子の表情のない顔がうつっていた。

化粧をしないせいか二十八にしては生気がない。夫の給料をやり繰りして、食事の用意と掃除洗濯と内職で毎日が過ぎてゆくんだな、という実感があった。ときどき大きな溜息をついていることがあった。

幸福ともいえないが取り立てて不幸でもない。しかし、此の頃、聖徳太子の顔が妙にシャクにさわって仕方がない。

特売のトイレット・ペーパーを山と買い込んでアパートの外階段を上ったら、隣りのドアがあいて、あの男が帰るところとぶつかってしまった。

峰子と甘い声を出し、ノブちゃんと呼ばれていたのが嘘みたいなムッとした顔をして、サチ子とすれ違った。

当の峰子は、ドアを半開きにして、男を見送っている。髪が汗に濡れてはりついている。化粧してないときは、コーヒー色のあさ黒い顔で半病人みたいだが、かまうと別人になる。年はサチ子より七つ八つ上らしいが、けだるいしぐさも目尻の皺《しわ》まで色っぽくみえた。

挨拶をしないでうちに入り、内職のつづきをはじめた。

誰かになにかしゃべりたいとき、ミシンが相手になる。ミシンに八つ当りしたり愚痴をこぼしたりするのだ。気持が落着くと、うたた寝の枕代りになる。

サチ子は夢うつつのなかで、また隣りの女の声を聞いた。

「谷川岳ってどこにあるんだっけ」

「群馬県の上越国境」

男の声が答えている。

「そうすると上野から上越線？」

「上野。尾久。赤羽。浦和。大宮。宮原。上尾。桶川。北本。鴻巣。吹上」

男の声は低いが響きのいい声である。ひとつひとつの駅名を、まるで詩でもよむように言ってゆく。夢ではない。声は明らかに、壁の向うから、隣りの部屋から聞えてくる。

「行田。熊谷。籠原。深谷。岡部。本庄。神保原。神保原」

男の声がつっかえた。

いつもの、あの男ではない。ノブちゃんと呼ばれる現場監督風の、太い塩カラ声ではない。もっと深い声である。サチ子は声に誘い込まれるように立ち上った。

「神保原。新町。倉賀野。高崎。井野。新前橋。群馬総社。八木原。渋川。敷島。津久田。岩本。沼田。後閑。上牧。水上。湯檜曾。土合」

男の声は、言い終って大きく吐息をついた。

女の声が、くくと鳩のように含み笑いで寄り添っている。

「よく覚えているわねえ」

「谷川に登るときは、勿体なくて急行になんか乗れないなあ。上野から鈍行に乗って、少しずつ少しずつ、あの山に近づいてゆくんだ」

サチ子のからだも、だんだんと壁に近づいてゆく。

「だんだん近づいていると思うと、何べん登っても、はじめてみたいに胸がドキドキするんだ。土合の駅下りて山を見上げるときなんか、自分でも顔がほてってドギマギしてるのが判るんだ」

「男の子みたい」

峰子の声も弾んでいるのが判る。

「綺麗な山なの？」

「山はみんな綺麗だよ。どんな山だって、遠くから見るとみんな同じに見えるけど、丁寧に一歩一歩登ってゆくと、違うんだ、なだらかな裾野があって」

「くすぐったい……」

「思いがけないところに窪地《くぼち》がかくれてる」

「くすぐったいって言ってるでしょ」

「光のあたってるところ。かげになってるところ。乾いてるところ。湿ってるところ。

みんな息をしているように見えるんだ」

サチ子の手が、壁に寄りかかって横ずわりになった自分のからだをそっとなでてゆく。スカートがめくれて、肢がのぞいている。窓からさし込む夕焼けが、からだに光と陰の地図をつくっていた。

男の声が、すこしくぐもって甘くなった。

「山は朝見ると、神々しく見える」

「昼間見ると？」

女の声が重くなる。

「たくましくみえる」

「夜見ると？」

「凄味があって、こわいな」

女の含み笑いが聞えてきた。

そして、壁はゆっくりと揺れはじめた。

「おねがい。さっきの駅の名前、もう一度言って」

「上野。尾久。赤羽。浦和。大宮。宮原。上尾。桶川。北本。鴻巣。吹上。行田。熊谷。籠原。深谷」

サチ子は、耳たぶが熱くなり、息が苦しくなった。酔いが廻ってくるのが判った。

「岡部。本庄。神保原。新町。倉賀野。高崎。井野。新前橋。群馬総社。八木原。渋川。敷島。津久田。岩本。沼田。後閑。上牧。水上。湯檜曾。土合」

サチ子は固く目を閉じた。まぶたの裏が赤くなり、山の頂上へのぼりつめてゆく。やがて頂きがきて、全身の力が抜けた。そのまま死んだように動けなかった。

夕焼けが夕闇に変ってゆき、アパートの下で子供たちの騒ぐ声がしたが、サチ子は壁に寄りかかったままだった。ミシンの上に縫いかけのブラウスがあり、時計が五時を打った。

ドアの音で我にかえった。

そのままの姿勢で浅い夢のつづきを見ていたサチ子は、はね起きて廊下をのぞいた。ガウンを着た峰子は、外階段のところに立って、片手を上げている。男が帰ってゆくところだった。

くたびれたレインコートを着た若い男だった。うしろ姿なので顔は見えないが、手を上げている峰子にこたえるように、振り向かないままに片手をあげ、二、三度ひらひらさせた。肉体労働をしていない、先細の美しい手に見えた。

明らかに別の男である。じっと立って、男のうしろ姿をみつめる峰子は、夕闇のせいもあるが、ノブちゃんを送り出したときより、もっとなまめいてみえた。「あの、立替えたガス代……」

とはとても言い出せなくて、サチ子は黙って立っていた。自分がひどくみすぼらしいように思えた。「負け」という字が、チラついた。


「うちの水が一番うまいや」

夫の集太郎は、うちへ帰ると必ず水を一杯飲む。

勤め先の会社よりも、麻雀《マージャン》屋よりも、つき合いと称して何軒かはしごするバーよりも、というつもりらしい。同じ東京都水道局のお水ですけどね、とサチ子が嫌味を言ったりするのだが、この晩はサチ子がぼんやりと放心しているので、あとがつづかなくなった。

「遅いときは先に食べろと言ってるだろ」

手をつけてない二人前の食卓に文句を言い、

「やりたくてやってるんじゃないんだよ。課長にこうやられるとさ」

パイをつもる手つきをしてみせ、

「一人だけ抜けるわけにゃいかないんだよ。三味線ていうだろ」

「三味線て、これ?」

弾く真似をするサチ子にあきれた顔になった。

「なんにも知らないんだな。麻雀やりながら、なんだかんだヨタ飛ばすだろ」

「ああ、あれ」

「ああいうとき、スパァーと本音《ほんね》を言ったりするもんなんだよ。サラリーマンてのは九時から五時までが仕事じゃないんだよ」

「やっぱりジャン荘なんかでやるわけ?」

「うち、連れてこられないだろ。給料が安いんで女房が内職してますってとこで」

「あなたのお給料が安いから内職してるんじゃないわよ。時間が余って勿体ないから」

「だったら、おれが帰ったときはしまっとけよ」

いつもは片づけて置く縫いかけのブラウスが、ミシンの上にひろげたままになっている。片づけはじめたサチ子に、

「いいよ。鼻の先でバタバタするなよ。ハナシだよ、ハナシ」

あくびをしながらパジャマに着替える集太郎に、サチ子はやはりあのはなしをしないではいられなかった。

「隣りのひとね」

「隣り? ああ、スナックの。あれはやとわれママか」

「あのひと、凄いのよ」

サチ子は親指を立ててみせた。

「二人もいるんだから。それも一日に二人よ」

「よせよ」

自分も同じ手つきをして集太郎は露骨に嫌な顔になった。

「女がこういう手つきするの、嫌いなんだよ。素人の女のすることじゃないよ。下品だよ」

「じゃあ、どうすりゃいいの」

「口で言やあいいじゃないか」

「オトコって言うの。そっちも下品みたいだけどなあ」

「男がどうしたんだよ」

「二人いるのよ」

「別に不思議はないだろ。人の女房なら大事《おおごと》だけど、ああいう商売の女に男の二人や三人」

「それにしたって。おひるにいつもくる現場監督みたいな人が来てたと思ったら、三時頃お使いから帰ってきてミシン掛けてたら、また別の声がするの。それがいつもの人の声じゃないのよ」

「一日、なにやってンだ」

サチ子は、すこしたじろぎ、「自然に聞えるんだもの」と小さい声になった。

「ヘンなのとつき合うなよ」

集太郎は、また大きなあくびをしながら布団にもぐり込んだ。サチ子は明りを暗くしたが、すぐには台所へゆきたくなかった。

「谷川岳のぼったことある？」

「谷川岳」

集太郎は、またあくびをした。

「ないよ。なんだい急に」

「上野から谷川までの停車駅、言える？」

「八時間じっくり働いてさ、つき合い麻雀やって帰ってきたんだよ。クイズなんかやるゆとりはないよ」

うんざりした顔が、くるりと向うを向いて、すぐにいびきをかきはじめた。

次の日、サチ子は内職のブラウスを届けにいった帰りに、珍しくレコードを一枚買った。うんと厳《おごそ》かなのにしようと、バッハの「ミサ曲」にした。

アパートに帰るなり、すぐにレコードを大きくかけた。着替えをしながらも壁が気になり、近づいて耳をすましたが、何も聞えなかった。レコードを小さくして聞き、とめて聞いたが、何も音はしなかった。

「馬鹿みたい」

笑い出して、自分の頭を叩いたとき、ドアをノックする音がして、管理人が立っていた。七十がらみの女である。いきなり、

「奥さん、手あいてる？」

という。

手があいてたら、池袋までひとっ走りしてもらえないか。お隣りのママが、出がけに郵便箱のところで立ちばなしをしたときに、スナックの鍵を置き忘れた。用足しがあって取りにもどれないので届けてもらえないかという。

「あたしが手、あいてりゃ行くんだけど。いっぺんのぞきたいと思ってたのよ。あんまり小さいとこだと家賃取りっぱぐれるもの。奥さん、ちゃんと見てきてよ」

地図と鍵の束を受取って、サチ子は出かけていった。

スナック「パズル」は池袋駅前の、バー横丁の地下にあった。

階段を下りてゆくと、店の前に立っている筈の峰子は、店の中から笑いながら出てきた。

「すみません。間に合っちゃったの」

休みだと思ったバーテンが出てきたので、鍵は不用になった。折り返して電話したが、奥さんはもう出かけたあとだったと謝り、タクシー代を払ってから、何か飲んでいって下さいな、と椅子をすすめた。

十人も入ればいっぱいになる安直な店だった。もっさりしたバーテンがセロリの皮をむき、客はまだ一人で、カウンターの端に若い男がひとり、ルービック・キューブを廻している。

サチ子はコーヒーを頼んだが、峰子は手早く水割りをつくって笑いかけた。

「いけるクチなんでしょ」

「いただきます」

折り目正しく頭を下げてしまってから、この場所には不似合いだったなと気がついた。カウンターの端の男が、ちらりとサチ子を見た。

粧《よそお》った女と全く白粉《おしろい》気のない女が、カウンターを境に向き合っている。長く伸した赤い爪の前で、マニキュアなしの短い爪は所帯じみて貧しく見えた。サチ子は、勢いをつけて水割りをのみ、激しくむせた。峰子が背中を叩いてくれた。

緊張すると咽喉がおかしくなり、むせたりするのはサチ子の癖である。

「あたし、ここ一番てとき、しくじる癖があるんです」

試験のとき、おなかをこわしたり、見合い写真を写す日に限って、鼻の頭におできが出来たりした、とサチ子はしゃべった。

「去年もそうなの。パリにゆくってときになって——内職をしてる友達と、いつもシビシビ働いてるんだから、たまには豪華にゆきましょうってゆうんで、パスポートもみんな用意したのに盲腸になって」

「いけなかったの？」

「そういうとこあるの」

峰子の青と黒で彩った目が急に人なつっこく笑いかけてきた。

「あたしも盲腸やったのよ」

「最近？」

「昔」

サチ子は嬉しくなって来た。

「あたし、これくらい」

指で四センチの傷口を示してみせた。

「あたし」

峰子も真似をしたが、こっちは二センチほど長かった。

「うわ、大きい」

「田舎のお医者さんでしょ。ずい分前だし」

「じゃあ、縫ったんでしょ」

「あなた、パチンてとめるやり方？」

言いかけた峰子の顔がこわばった。ドアの入口に客が立っている。あの男だった。いつもくる現場監督風のノブちゃんである。

「いらっしゃいませ」

峰子は、急によそゆきの声になり、カウンターの下をくぐりぬけた。バーテンに「ちょっとお願いね」と言うと、ノブちゃんにからだを預けるようにしてドアの外へ出ていった。

サチ子は急いで水割りを飲んだ。今朝の具合では、今夜も集太郎は遅いらしいが、夕食の支度だけはしておかなくてはならない。おかずは何にしようか。

カウンターの端の若い男が、桃色の電話のダイヤルを廻している。

「武智先生のお宅ですか」

サチ子はドキンとした。

「朋文堂の麻田ですが。額縁《がくぶち》をお引き受けした朋文堂の、はい麻田です。期日の件ですが二、三日遅れますので」

あの声に間違いない。

「いや、あっちは大丈夫です。八十号と六十号。静物の。それとバラの四十号」

あとは期日の打ち合わせになった。

その声が、サチ子には音楽に聞えた。

「新町。倉賀野。高崎。井野。新前橋。群馬総社」あのときの声が聞えてきた。サチ子は息苦しくなってきた。水割りを一口で飲み干し、ガタンと立ち上った。男がちょうど電話を終えた。自分をみるサチ子の強い視線をいぶかしく感じたらしい、これもじっと見返した。三十をひとつふたつ出ているだろうか、端正な顔立ちだが暗い目をしていた。

サチ子はそのまま店を出た。

地下室からおもてへ出ようとしたら階段の踊り場で、峰子とノブちゃんがもみ合っていた。ノブちゃんは、峰子をからだで壁に押し込んで、

「ようよう」

泣くような声を立てていた。峰子は、引きつった顔をしていた。ノブちゃんの右手のあたりがキラリと光ったような気がしてサチ子は立ちすくんだが、峰子は、サチ子の姿に気づくと、ノブちゃんをやわらかく抱き込む形になって、

「あら、奥さん、もう帰るの」

と呼びかけた。

声にはゆとりがあったし、ノブちゃんのほうも、いつもアパートの廊下で顔を合わせ

るときのように、ちょっとバツの悪そうなムッとした顔なのでサチ子はほっとした。

「ご馳走さま」

と声をかけ、抱き合ったままの二人から目をそらして、階段をかけ上った。あんなに激しい目おもてに出たら暗くなっていた。急に自分がみすぼらしく見えた。あんなに激しい目で集太郎から見つめられたことはなかった。あんな声で深いところへ誘い込まれたこともなかった。今頃麻雀をしているに違いない集太郎に腹が立ってきた。ネオンまで自分を嗤《わら》っているように思えた。

集太郎はいつもと同じように十二時過ぎに帰ってきた。帰ってくるなり水を飲み、大きなあくびを繰り返した。

「あくび、だんだん大きくなるわねえ」

「どこかよそへいってやったら、問題だろ」

「結婚ていうのは、家庭っていうのは、大きいあくびをするところですか」

夫の答は、もっと大きいあくびだった。

パジャマに着替える夫に背を向けて、サチ子は台所へ立った。蛇口をいっぱいにひねり、コップに水が溢れるままにしてじっと立っていた。豊かな、溢れるほど豊かな女もいる。からっぽな女もいる、と思った。「上野。尾久。赤羽。浦和。大宮。宮原。上尾。桶川」あの声がまた聞えてきた。

夜のあったことが嘘みたいな朝がきた。

うしろめたい濁った空気は朝刊と朝の牛乳が追っぱらってくれるらしい。男も女もキビキビと働き者になる。サチ子も集太郎を送り出し、ミシンを掛けはじめた。何だかガス臭いような気がするが、多分気のせいに違いない。

サチ子はふと手をとめた。壁の向うに気配がある。女のうめき声がする。男のうなり声が聞える。守宮《やもり》のように壁にからだをくっつけて聞いている自分の姿が鏡にうつっていた。

「あ、嫌だな」

朝だけに、余計おぞましかった。振り切るように、レコードをかけた。バッハを大きくかけた。額のゆがみを直し、ミシンを掛けはじめたが、やはり気になって、ステレオのボリュームを下げた。女のうめきがまた聞えた。もっと大きくボリュームを上げた。ガスが匂うような気がした。

ベランダへ出て身をのり出し隣りをのぞいた。

レースのカーテンが揺れていた。カーテンの向うから、女の手がガラス戸をあけようとして空を掻いていた。その手首に血の筋が見えた。

サチ子はベランダの境を乗り越えた。ガラス戸の向うに峰子が倒れている。ベランダの枯れた植木鉢でガラスを叩き割った。ガスの匂いが鼻をついた。

「誰か！　管理人さん呼んで！　一一〇番呼んでください」

叫びながら、ガラスの割れ目に手を突っ込み鍵をあけた。あわてているので、なかなかあかなかった。

「誰か来て！」

叫びながら中へ飛び込むと、裸の男がダブルベッドからずり落ちる格好で動かなかった。ノブちゃんだった。サチ子は気を失っている峰子を引きずり出そうとして激しく咳き込んだ。片手でガスを払いのけながら、峰子のまくれたガウンの裾を直して、それからベランダへとび出して、「一一〇番おねがいします」と叫んだ。

救急車にかつぎ込まれる二つのタンカを、サチ子はぼんやり見ていた。

「心中だってさ」

「死んだの？」

「息はあるらしいって」

というアパートの連中の声が聞えた。ガラスで切ったらしく手首から血が出ていることにはじめて気がついた。

「お隣りっていってもまだ越して三月ですから。いえ、うちじゃなくて、お隣りさんです」

サチ子は生れてはじめてテレビのマイクを向けられた。

「親しいってほどじゃないです。ゴミの車、今日は遅いのね、なんて言うくらいの——あら、もううつってるんですか。やだ、こんな格好で」

今日に限って、髪にクリップはくっついているし、よれよれのブラウスである。

「現場へ飛び込んだときの気持は」

「もう夢中っていうか、夢中ですね」

どういうわけか、ハアハアと息が弾んでしまう。

「こういうの生れてはじめてなんです。ほら、毎日って普通でしょ。自分のまわりには、自殺とか心中とかそういうこと絶対に起らないって、なんかそう思い込んで暮してるとこあるでしょ、でもそうじゃないんですね。そんなこと思ってもみないときにパシャッてほっぺた引っぱたかれたみたいに、そういうこと隣りで起きるんですよ。別に不思議でもなんでもないわけだけど。ほら、あの西鶴ですか『好色五人女』の樽屋おさん、あ、おせんだったかな。それと、なんとかベエの、ええとあれは暦《こよみ》屋の、いまでいえばカレンダー屋の奥さん。あ、大経師おせん。おさん。やだ、まじっちゃった」

くく、と笑いながら、とめどがなかった。

「浮気したり、心中したり、ああいう思い切ったことしたひとの隣りにも、普通のごく普通の女が住んでて、びっくりしたと思いますよ、あたしみたいに。あら、ボタン、ブラブラ。内職でひとのボタンつけてる癖して。やだわ」

たかぶっているせいか、サチ子はやたらに笑った。

「主人ですか、サラリーマンです。ごく平凡な、やだ、まだうつっているんですか」

手首に繃帯をしたサチ子の手が、画面をおおう形になって、インタビューは終った。

冷蔵庫をあけ、残りものを指でつまんで食べていると電話が鳴った。

「みっともない真似をするなよ」

いきなりどなられた。夫の集太郎である。

「テレビだよ、テレビ」

「テレビ見たの？」

また声がうわずってしまう。

「調子づいてベラベラしゃべって、人が死んでるんだろ。嬉しそうにしゃべる馬鹿あるかよ」

「死んでなんかいないわよ。助かったわよ。あたし助けたのよ」

「助かったにしたって、生き死にに変りはないわけだろ。鼻の孔ふくらまして、笑いながらしゃべるはなしじゃないだろ」

「笑ってなんかいないでしょ」

「笑ってたよ、嬉しそうにヘラヘラ。不謹慎だよ」

「モシモシ」

「それからな。知りもしないこと、しゃべるなよ」

「え？」

「西鶴の五人女のがどうしたとか。聞いて、おれ冷汗が出たよ。おせんとおさんの区別もつかないでなにがカレンダー屋だよ」

「だって高校の試験に出たから」

「言うんなららちゃんと読んでから言えよ」

「普通のときじゃないのよ。こっちだってのぼせてまざっちゃったのよ」

「いくらのぼせたって、亭主のことまで言うことないだろ」

「なに言った？　あたし」

「平凡なサラリーマンです。その通りだけどさ、なにもテレビにまで出て宣伝することじゃないよ」

「聞かれたから言っただけでしょ」

「会社の連中も見てンだよ。いい笑い者だよ」

「出たくて出たわけじゃないわよ。管理人さんは病院だし、ドアをドンドン叩かれてマイク突きつけられたら仕方ないでしょ」

「だったらうちに居なきゃいいだろ」

「どこ行ってンのよ」

「そのくらい自分で考えろよ」

ガシャンと鼓膜にひびく音を残して電話は切れた。

けがのことをひとことも聞いてくれなかったなと思いながら、サチ子はうちを出た。ドアのなかでまた電話が鳴っていたようだが、もどらなかった。

サチ子は駅前の本屋で、西鶴の『好色五人女』の文庫本を引き抜いた。すぐ隣りの喫茶店に入り、コーヒーを頼んだ。巻二の「情を入れし樽屋物語」をひらいた。

「恋に泣輪の井戸替、身は限りあり、恋は尽きせず、無常はわが手細工の棺桶に覚え、世を渡る業とて錐鋸《きりのこぎり》のせわしく」

コーヒーカップを持ち上げると、まだ手が震えていた。うしろの現代語訳をめくった。

「人の命には限りがあるが、恋路はつきることがない」

目は字を追っているが、気持はあの声を聞いていた。たしか「朋文堂の麻田」といっていた。気がついたら、立って、職業別電話帳をめくっていた。絵画材料額縁のところに朋文堂があった。

「モシモシ、朋文堂ですが」

ダイヤルを廻したら、あの声が出た。サチ子は電話を切り、住所をメモに書き込んだ。

手がひとりでに動いているという感じだった。

朋文堂は二つ隣りの駅前にあった。

かなり大きな店で、麻田のほか、二、三人の店員がいた。麻田がたばこを喫いながら、女店員とふざけているところをみると、まだ峰子の事件を知らないらしい。

「あのォ」

口ごもりながら、サチ子は小さな声で告げた。

「あの人のこと、ご存知ないですか」

「あの人？」

「心中して、けがして、大変だったんです」

サチ子は麻田と裏の倉庫ではなしをした。こわれた額縁などが雑然と積んであり、ニカワの匂いがした。

「命には別状ないそうです。ガスも少し吸ってるけど、けがのほうも大したことないって」

「そうですか」

相手の男を聞かなかったところを見ると、見当はついているのかも知れない。麻田はサチ子の手首の傷の具合を聞いてから、

「ぼくに知らせてくれって、あの人が言ったんですか」

「いいえ。あの人の店で電話かけてらしたとき、ここの名前、おっしゃっていたので」

ああ、と麻田は納得した顔になった。

「それにしてもどうしてぼくのこと——あ、そうか、アパート、彼女の隣りだから、出入りにぼくの顔——」

言いかけて、

「いや、あのアパート行ったのは、一回きりだし、ぼくのほうはあなたの顔見てないけど」

「声で判ったんです。電話かけてるの聞いたとき、あ、あの声だって。『上野。尾久。赤羽。浦和。大宮』」

言ってしまって、失言に気がついた。

「あ、すみません。アパートの壁、薄いのかな。聞くつもりなくても、いびきや溜息まで筒抜けなんですよ。あ」

もうひとつ追い討ちをかけた形になった。

すべてを聞かれてしまった男は黙って横を向き、こわれた額縁をさわっていた。サチ子は頭を下げると小走りに店を出た。

サチ子は自分に腹を立てていた。

頼まれもしないのに、わざわざ住所まで調べて麻田のところへ出かけて行った自分。

やましい期待の分だけ、大きくふくらんだ風船をパチンと割ってしまった失望はみじめだった。嗅ぎたくない自分の嫌な匂いを嗅いだ恥かしさで、顔が上げられなかった。

うしろから足音が追ってきた。足音は並んで歩くと耳許で麻田の声がした。

「いっぱいつき合って下さい」

まだ陽が落ちていないせいか、バーともスナックともつかない店は空いていた。

カウンターにならんで腰かけると、麻田は水割りのグラスを乱暴にぶつけてきた。その気持をはかりかねたが、サチ子も繃帯をした手首でグラスを持ち、もう一度ぶつけてくる麻田のグラスを受けとめた。麻田はひとことも口を利かず三ばい飲み、サチ子も二はい飲んだ。

おもてへ出ると、一度に酔いがまわった。

「腹はすいてないですか」

麻田が言った。

「すいてます」

気がついたら、朝から、まとまったものを食べていなかった。

麻田は街頭でポプコーンを買うと、いきなりサチ子の口へ押し込んだ。二人は食べながら歩いた。麻田は、自分も食べ、またサチ子の口へ押し込む。麻田のニカワの匂いのする手が、サチ子の唇にあたった。押し込まれるたびにサチ子のなかでたかまるものがあった。また押し込まれた。

ベッドでも、麻田のしぐさは手荒かった。手荒いくせに妙にやさしさがあった。そこだけ別のもののように頭の上に投げ出していたサチ子の繃帯をした手首が、麻田の背中を抱き、爪を立てていた。サチ子の目尻から涙が流れた。ラブホテルのカーテン越しに夕陽が見えた。

「電気つけないでください」

サチ子は暗いなかで、額縁をつくるコツをたずねた。絵に嫉妬しないことさ、と麻田は答えた。嫉妬を殺して、どうしたら絵が引き立つか考えてやることだと言った。絵かきになりたかったが、才能がない。自分に引導を渡すために、近々ニューヨークにゆくつもりだと言った。

「一緒にゆこうか」

「あたしですか」

「パスポート、持ってるから、簡単だ」

「あら、どうしてそんなこと……」

「パリへゆく前に盲腸になって、ここ一番てときにしくじる癖がある」

「あ、そうか、あのとき」

やっとサチ子は笑うことが出来た。

「去年、内職しても友達と一緒にゆこうと思って」

「内職ってなにやってるの」

「縫製の下請けです。ブラウス一枚千二百円」


サチ子はシャワーを浴びにベッドから抜け出した。

麻田は半開きになっているサチ子のバッグをしめようとして、中から文庫本がのぞいているのに気がついた。西鶴の『好色五人女』である。

めくったら、巻四の「恋草からげし八百屋物語」が目に入った。

「雪の夜の情宿《なさけやど》。油断のならぬ世の中に、殊更見せまじき物は、道中の肌付金《はだつけ》、酒の酔に脇差《わきざし》、娘の際《きわ》に捨坊主《すてぼうず》」

道中の肌付金かと呟きながら、麻田は赤い小さな財布をあけてみた。千円札が三枚キチンと畳んで入っているのがいじらしく思えた。麻田はポケットから三十万ほど入った封筒を出し、三枚抜いて中へ入れた。

ドアをあける気配がした。麻田はたばこをくわえた。ラブホテル街のネオンがまたたくガラス窓に、帰り支度をしたサチ子の姿がうつっている。

「帰るの」

サチ子は小さなお辞儀をすると、バッグを抱えて出ていった。

「一生の思い出です」

「それだけ？」

「さようなら」


集太郎はビールをのみながら夕刊をひろげていた。

「手どうした」

やわらかい言い方だった。

「女が飛び込むことないんだよ。飛び込んだとたんガスが冷蔵庫の火花で爆発ってこともあるんだから」

「はい」

顔を見ないようにして、ガスにヤカンをかけ、ガスの火を見ていると、集太郎も立ってきた。うしろに廻って首すじにキスをする。もがいたとき、ドアのチャイムがなって、管理人が金を返しに来た。朝、例の騒ぎで救急車に乗ったとき、何でいるか判らないからと、サチ子から五千円借りていったのだ。

騒ぎの割りには大したことなく、峰子は二、三日で退院出来るらしいという。

「奥さん、つやつやしてるわよ。まあ女は、こういうことあると、自分のことでもないのに、頭に血がのぼって張り切るのかしらねえ」

笑って出ていったが、サチ子は笑う口許がこわばるのが判った。だが、受取った五千円札をガマロに仕舞ったとき、もう一度、顔がこわばるのが判った。覚えのない新しい札が三枚入っていた。

金を入れたのは、麻田に違いなかった。サチ子は一世一代の恋をしたと思っていたが、あの男は自分を三万円で買ったのだ。手が震え、からだが震えてきた。

集太郎の視線を避けて、ゴミを捨てにおもてへ出た。ゴミ集めの日以外は捨てるなの木札の前に、ポリバケツを下げてしばらく立っていた。

「どうかしてるぞ」

集太郎が立っていた。

「昼間のこと、もう気にするのはよせよ」

サチ子の手からポリバケツを取り、

「全く、はた迷惑なのが隣りへ越してきたもんだよ」

サチ子の肩を叩いて、さあ帰ろうとうながすと、先に立ってアパートへ入っていった。

小さな菓子折を抱えて峰子が挨拶に来たのは、それから二日目である。もともと細かったのが二廻りほど痩せ、色が白くなっていた。

このたびはいろいろと、と頭を下げ、

「奥さんが飛び込んでくれなかったら、あたし今頃はこのくらいの四角い箱」

骨箱のことを言っているらしい。部屋を見廻して、

「同じ間取りなのに、別のアパートみたい。やっぱり家庭ってのは違うわねえ」

それでなくてもうしろめたいのが、家庭のひとことで、サチ子は顔が上げられなくなった。

「いやだわ。奥さんがうつむくことないじゃないの、みっともないことしたの、あたしなんだから、はなしが逆よ」

「どこのうちだって、突つけば、みっともないことのひとつやふたつ、あるんじゃないの。お互いさまよ」

「今日あたり、そういうことを言われると、こたえるなあ」

廊下へ出ると、アパート中の女の視線が矢のように体中に刺さる。やさしいのは奥さんだけよ、としんみりした声になった。

「盲腸の友だから」

サチ子のことばに、峰子も少し笑って、盲腸の友ということで、少し用立てて欲しいと切り出した。銀行へおろしにゆくと、またじろじろ見られて辛いので、二、三枚当座の分を貸してくれないかという。サチ子は、ミシンの抽斗に入れておいた、例の札を出

して、二枚渡した。

手刀を切って受取った峰子は、「助かります」と言いかけ、札をひっくりかえして調べている。

「どしたの、ニセ札？」

「おかしなことあるもんねえ。世の中にはあたしと同じ癖のある女がいるのかな」

峰子はじっとサチ子の目を見て、低い声でゆっくりと言った。

「あたしねえ、惚れた男に貢ぐとき、こっちもおべんちゃら言ってお酒ついで儲けたお金ですからねえ。サヨナラの挨拶代りに、お札の端のとこにこうやって口紅つけてバイバイするのよ」

たしかに、札の端に赤いものがついていた。

「これ、ついこの間バイバイしたのと同じに見えるけど、奥さん、このお札、どこで誰に」

落着かなくてはいけないと思いながら、サチ子の声はうわずっていた。

「誰って、うちのお金は主人の月給かわたしの内職だから」

「それだけ？」

「それだけって、ほかになにかあるんですか」

峰子はじっとサチ子の顔を見てふふと笑った。

「おじゃましました」

ドアをしめて出ていった。

持ってゆかなかった二枚の札の隅の赤いしるしをもう一度たしかめて、サチ子はそのままペタンと坐り込んだ。

廊下から声が聞えてきた。

峰子がアパートの女たちに吊し上げをくっているらしい。

「多少のご迷惑かけたことはお詫びしますけどねえ。別に人のもの泥棒したわけじゃなし、こわれたガラス入れ替えりゃ、なにもアパートを出てくことないと思いますけどねえ」

三、四人の主婦が峰子を取りかこんでいるらしい。聞き覚えのある女たちの声が飛び込んできた。

「どこ行っても言われるのよ。ああ、あのアパートって」

「なんかあたしたちまで乱れてるみたいに言われてねえ」

「乱れてる?」

峰子の声が大きくなった。

「近頃は家庭の主婦のほうが、ずっと乱れてるんじゃないんですか。金と引き替えに男にからだ売ってる奥さんも多いって聞いてるけど」

多勢に無勢の峰子をかばったつもりなのだろう、管理人が助太刀をした。

「そういやあ主婦売春てのよく聞くわねえ」

サチ子は三枚の紅のついた札をもったまま凍りついて動けなかった。

朋文堂をたずねると、麻田はもうニューヨークへ発ったあとだった。ひと月ほど休ませてくれというが、戻るか戻らないかは五分五分だなと言いながら、年輩の主人はニューヨークの落着き先のメモを渡してくれた。友人のアトリエだという。サチ子の名前も間柄もたずねなかった。

端の赤くなったあの札がミシンの抽斗に入っていると思うと、夜、集太郎の手が伸びてきても、抱かれる気にならなかった。

暗い中で激しくあらがい、布団からせり上ってミシンの下に入り込んでしまったりした。

「くたびれてるの。ごめんなさい」

「内職なんかやめちまえよ」

集太郎は寝返りをうって、背を向けた。

浮気ならまだ言いわけは立つと思った。金で売った形になったからだだと思うと、それだけは気がとがめた。

夜だけでなく、昼もサチ子は落着かなかった。

廊下へ出ると、主婦たちのヒソヒソばなしが急にやむような気がした。峰子が皆につげ口をするのではないか。いつかはあの集太郎の耳にも入るのではないか。買物にいって一万円札を出すとき、みなが見ているようで手が震えた。このままでは駄目になる、と思った。内職で貯めたへそくりの定期を解約して旅行社へいった。ビザをとりニューヨークまでの航空券を買った。結果的にしろ、主婦売春という汚名をきてしまった。この汚名を恋にかえてしまわなくてはならない。

「谷川岳へのぼってきます」

食卓にメモをのせ、成田から飛行機にのった。なにかに憑《つ》かれたようだった。

「よもやこのこと、人に知られざることあらじ。この上は身を捨て、命かぎりに名を立て、茂右衛門と死出《しで》の旅路の道連れ」

離陸するときの震えか気持のおののきか、サチ子は、いつまでも震えがとまらず、膝の上の『五人女』の同じところに目を走らせていた。

眉を落しかねをつけた若女房のサチ子と手代風の麻田が手に手を取って道行きをする場面が見えてきた。

一度跳んでしまうと、やけなのか度胸がすわるのか、サチ子はよく眠った。この十日ほどの分もまとめて眠り、機内食もキレイに平げた。

はじめての外国への旅も、ニューヨークも、テレビか案内書で反芻《はんすう》したせいか、気も動てんするということはなかった。もっと大きな動てんの前には、知らない土地を訪ねるということのほうが普通の出来ごとだったのかも知れない。

二十八丁目にある麻田の落着き先はすぐ判った。かなり傷んだ七階建てのビルの六階である。エレベーターは動かなかった。昼でも暗い階段を上ってゆきドアを叩くと、猫を抱いた若いアメリカ人の男がのぞいた。

「ミスター・麻田――」

そのあとどうつづけようかと目を白黒させていたら、男のうしろから、同じ柄の猫を抱いた麻田がのぞいた。サチ子を見ても何も言わず、抱いていた猫を放しただけだった。

「あんまりびっくりしないのね」

「びっくりしても顔に出ないたちなんだ」

当座の着替えだけを入れたトランクを下げたサチ子を上から下まで見て、

「誰かと一緒」

と聞いた。

「ひとり」

「何て言って出てきたの」

「谷川岳へのぼりますって」

麻田は大きな声で笑った。

「あの、あたし、お返ししなきゃならないものが」

バッグを探るサチ子の口を封じるように、乱暴なしぐさで、麻田はトランクを引ったくった。

「一番先にどこ、見たい？」

「五番街。タイムズ・スクエア。ハーレム。ティファニー。カーネギー・ホール。ヴィレッジ・ソーホー。セントラル・パーク。ダコタ・ハウス」

駅名ではないが、今度はサチ子が連呼する番だった。

恋人同士のように手をつなぎ、時に手を廻して、はしゃぎながら、見て廻った。新しい街と古い街。白い顔、黒い顔が二人のまわりを通りすぎた。ニューヨークという字に恋という字、道行きという字を重ね合わせて、サチ子は自分を無理に酔わせていた。

アメリカのビール、バドワイザーをのみ、麻田の煙草を半分すい、ヴィレッジの小さな店で黒人の恋人たちと肩をくっつけ合ってジャズを聞き、その酔いのつづきで麻田のベッドで更に酔い、酔いのなかで眠った。

「のど、乾いた。のど……」

夢うつつでサチ子が呟いた。

疲れのせいか目があかない。

「あたし、お水、のんでくる」

起きるはずみに集太郎を踏んでしまった。そう思った。

「ごめんなさい。ヨイショ」

ふらつきながら、台所へ水をのみに立ったつもりで、目かくしのつい立てとぶつかってしまった。つい立ては大きな音を立てて倒れ、植木鉢をこわしてしまった。

「あたし、水飲みに――うちのアパート、この辺が台所なの」

目を覚した麻田に、笑いながら言ったつもりだった。

ネオンの点滅で、部屋は明るくなったり暗くなったりした。ロフトとよばれる倉庫を改装したモダーンな部屋である。純白に塗った体育館のような天井からは何台もの自転車がブラ下り、それが飾りになっている。物音におどろき猫を抱いて起きてきたアメリカ人の男が、白い壁に大入道のようにうつっている。足許のパックリ二つに割れた植木鉢。

「やだ、あたし。自分のアパートと間違えちゃった」

大笑いに笑ったが、たかぶった分だけ別のものになった。サチ子はいきなりトランクに飛びついた。

「帰ります。あたし、帰ります」

「馬鹿なこと言うんじゃない。ここはニューヨークだよ。日本とは一万五千キロ離れてるんだよ」

「帰る。帰ります」

「どうやって帰るんだ。歩いて帰るのか」

「どうしよう。あたし、大変なことしちゃった」

こわい、こわいとすすり泣くサチ子を麻田は抱きしめ、またベッドに誘った。恐い分だけ、陶酔も激しかった。

「不義者成敗！」

立ち腐れた地蔵堂の扉があいて、侍姿の集太郎に斬られる夢を見た。サチ子は自分から麻田に溺れていった。


はじめて見る実物の自由の女神は思ったよりけわしい顔をしていた。

「あれ、何を持っているの」

「右手はタイマツ。左手は独立宣言書だったかな」

「自由と独立……」

「女はそういうことば、好きだね」

「持っていないからよ、女は。結婚したら二つとも無くなってしまうもの。人を好きになっちゃいけないのよ。恋をするのも罪なのよ。昔は殺されたわけでしょ。結婚した女は死ぬ覚悟で恋をしたのよ」

言っていると、またたかぶってくる。

河原の石にひとつずつ、南無阿弥陀仏と書き、そばの千本杭にひっかかっている自分と麻田の情死した姿がハドソン川に浮いているような気がしてきた。

マンハッタンのビルのすぐそばに使わなくなったハイウェイが打ち棄てられてあった。ちょうど夕焼けで、二人の影法師はまるではりつけ柱か墓標のように見えた。酒をのまずにはいられなかった。

三日目の朝早く、サチ子はまた目を覚した。ミシンの音を聞いたように思った。

「ね、この上、縫製工場かなにか？」

「いや、彫刻家のアトリエだよ」

目を閉じたまま、麻田は、サチ子の肩をやわらかく抱いた。みかけは華奢だが、着やせするからだである。集太郎の与えてくれなかった酔いを満してくれたからだから、サチ子は離れて起き上った。

「ミシンが聞える」

「そら耳だろ」

麻田はうつ伏せになった。

サチ子は、バッグから金を出し、麻田の背広のポケットに入れた。帰ろう。西鶴の女は殺されたが、現代の女はやり直すことが出来る。

首すじに熱い息がかかった。ベッドの中だとばかり思っていた麻田が立っていた。

「あたし、お金返しに来たんです。理由のないお金、拝借してるの、嫌だから、それであたし」

「だったらどうして着いた時すぐに返さない。俺と楽しんで、ニューヨークを散歩して、そのあとで金を返すのはどういうわけなんだ」

「お金は口実です。あなたのこと好きになって——一生に一度でいい、恋っての、してみたかったの」

「一生に一度の恋は三日でおしまいか。程のいいところで切り上げて、口を拭って帰るわけだ。いい気なもんだな」

麻田はサチ子に惚れてしまった分だけ、腹を立てていた。

「顔に出ないタチだなんて嘘ね。恐い顔」

「帰さないと言ったら、どうする」

「帰ります」

「帰ってなんて言うの」

「なにも言わないわ。なにも言わないで、一生懸命ミシン掛けるわ」

麻田はサチ子の必死の目を見て、ひとことだけ言った。

「たくましいね」

しっかりやれよという風に手を差し出した。

「ありがとう」

あと何十年を生きるかわからないが、男の手をこんなにきつく握ることはもうないだろう、とサチ子は思った。


スナック「パズル」に集太郎が入ってきたのは、夜十一時を廻っていた。

「隣りの時沢です」

少し酒が入ってはいたが、カウンターに腰を下すとすぐに峰子に挨拶をした。峰子は無言で会釈をして、注文の水割りをつくっている。

「カミさん、なにか言ってなかったですか」

集太郎は、カウンターのルービック・キューブを廻しながら、

「この間からちょっと出てるんですがね、谷川岳へのぼりますと書いてあるだけで」

「谷川岳？」

氷を割っていた峰子の手がとまった。

「今まで山登りのやの字も言ったことのないやつが、なんで急に谷川岳なのか、さっぱり見当がつかないんで、なにか聞いていたら」

峰子の手はアイスピックを握ったまま動かない。

「誰と行ったのか、あれは、ひとりでのぼれる山ではないでしょう」

「谷川岳ねえ」

峰子の目が宙に泳いだ。

「そういえば、上野から谷川までの停車駅、言えるかって言ったことあったなあ」

峰子は笑い出した。激しく笑った。

「あんた随分失礼な人だな。ぼくが隣りの人間だって判ったら、この間はすみませんでした、ひとことあってもいいんじゃないかな」

妻が飛び込んで手をけがした。恩にきせるつもりはないが、いわばうちは被害者ではないか。それを詫びるどころか人が物聞いても返事もなしで笑うのはどういうことかとこの五日間の鬱憤が強い語調になった。

「おかしいから笑ったのよ」

高笑いをしてから、峰子は、被害者はあたしだと言った。あんたの奥さんは加害者よ。

「今頃、奥さん、谷川岳へのぼってるわ」

谷川岳といっても山じゃない、男よ。ウイスキーをストレートであおり、勢いをつけて言った。

「オトコ」

ポカンとする集太郎にお代りをついでやった。

「そうよ。わたしの惚れてた男」

「そんなバカな。サチ子はそんな気の利いたこと出来る奴じゃないよ。融通が効かないし、色気よか貯金て女だから」

だんだん語気が弱くなった。

「その男、谷川っていうんですか」

峰子はまた酒をあおった。

「名前じゃないのよ。うちの部屋に来て、あたしを抱きながら『上野。尾久。赤羽。浦和。大宮』あんたの奥さん、あれ、聞いたのよ。昼間から男引っぱり込んでるこっちもいい眺めだけど、アパートの壁に耳おっつけて盗み聞きして。お宅の奥さんも、負けずおとらずのいい格好じゃないの。しかも、お宅の奥さん」

激して、男から金と言いかけて、危いところで踏みとどまった。

「男からって、なんですか」

「か、か――隔離されてたでしょ」

「亭主がいるじゃないですか」

「亭主は男じゃないわよ」

と言ってから、ふと、ああ、尻取りはむつかしいわと呟いたが、集太郎には判らないらしかった。

「隔離されてたから、カーとのぼせたんじゃないの」

集太郎が何か言いかけたとき、酔った客が入ってきた。

看板だからというのに入れろよと力ばった客を、集太郎は、びっくりするような大声で帰れ！　とどなりつけた。グラスを持つ手がブルブル震えていた。峰子はそのグラスにまた酒をついだ。自分にもついだ。

「結婚して」

「七年です」

「水商売ってのは七年やれば一人前だけど、結婚てのは七年じゃ駄目なのねえ」

集太郎と峰子はもつれ合ってアパートの外階段をのぼった。揺れながら自分の部屋の鍵をあけようとする集太郎の横に峰子は立って、自分の手で鍵穴をふさいだ。目がドアを半開きにした自分の部屋へ誘っていた。

「おんなじ間取りだね」

「そうよ。同じ間取りよ」

ワイシャツを脱がせ、集太郎の手を自分のからだに廻させた。

「女も同じ間取りよ」

集太郎をベッドに倒して、

「どう。同じでしょ」

集太郎の手が、ドレスのボタンをはずしてゆく。

「いつも聞えるのよ。こういうとき」

峰子は目を開いて囁いた。

「ミシンの音。壁の向うから、カタカタカタカタカタ。あれが聞えると、あたし安心だったわ。声が聞えないから。でもわたし、だんだん口惜しくなったの。『あたしは女房なのよ。ちゃんと籍入って世間に認められてるのよ』そう言ってるみたいに聞えるの。『あんたは何よ。女としてはもぐりじゃないの』何人男をつくったって、サイの河原の石積みじゃないの。なんにも残らないのよ。ミシン掛けと内職のブラウス縫ってるほうは、ちゃんと家庭が残ってくのよ」

「仇討《かたき》ちかい」

「そうよ。仇討ち」

抱きついていった峰子のからだが、不意に頼りなくなった。集太郎はからだを起していた。

「ミシン掛けてるんじゃないかな」

「そら耳よ。なにも聞えないわ。第一帰ってれば、明りがついてるわ」

抱きかけた集太郎の手はこんどはお義理だった。峰子は自分からベッドをおりて、床に落ちたワイシャツを手渡した。

「勇気がないのね」

集太郎は、黙ってボタンをかけた。

「そうじゃないのかな。帰るほうが勇気がいるのかな」

「そう思いたいね」

律義な性格なのだろう、集太郎はご丁寧にネクタイまで結んだ。

「これが結婚ですよ」

さすがに自嘲の笑いになった。

「不自由なもんねえ」

峰子も一緒に笑ったが、言葉が少し震えてしまった。

「でもちょっと素敵ねえ。口惜しいけど」

峰子の目に光るものがあった。

ドアをあけて、

「おやすみなさい」

と送り出した。

「おやすみ」

すぐに隣りのドアがあき、またしまる音がした。

何の祝日かアパートには日の丸が出ていた。

サチ子はトランクを下げて帰って来た。アパートの階段の下で立ちどまり、呼吸をととのえて一息に上った。のぼり馴れた階段がいつもより段が高くけわしく思えた。これをのぼらなくては帰れないのだ。

集太郎は万年床の枕もとに、罐ビールの空き罐の山をつくって眠っていた。

サチ子は、明るい大きな声で「ただいま」と叫んだ。

集太郎は目をつぶったまま黙っていた。

サチ子はもう一度、叫んだ。必死だった。前よりももっと明るくもっと大きな声だった。

「ただいま」

「お帰り」

目をつぶったまま、集太郎は言った。

「谷川はどうだった」

「あたしね、本当は谷川岳なんかのぼったんじゃないの」

「よせ！」

追いかけて、やわらかく、よせよ、と言った。

「実はおれも麓《ふもと》まで行ったんだ」

「麓……」

「のぼるより、もどるほうが勇気がいると言われたよ」

「だれに？」

集太郎は目をあけた。

目やにのくっついた無精ひげの顔がサチ子には妙になつかしく思えた。

「そのはなしは、七十か八十になったらしようじゃないか」

「うん」

サチ子は、なにかの大きな塊をごくりとのみ込んだ。

「あたし、これから、うんとしっかりやる」

「しっかりやってくれよ」

集太郎は起き上ると、サチ子のたくましい尻をひとつ、パーンとたたいた。サチ子はくるりとうしろを向き、両手で顔をおおってすすり泣いた。

「どっち見て泣いてるんだ」

サチ子は集太郎の胸にとびつくと、子供のように声を立てて泣きじゃくった。

峰子が引っ越していったのは、それから三日ばかりあとである。二ケ月分の部屋代を踏み倒し、サチ子にガス代とクリーニング代の借りをのこして、夜逃げ同然だった。ドアの前に、ウイスキーやコーラのびんと古新聞、そして、部屋のなかには、裸のダブルベッドだけが残って、あとは綺麗に消えていた。

梅雨が上った頃、大風呂敷をかかえてサチ子はいつものようにバスに揺られていた。風呂敷包みの中は、内職の材料である。衿、袖、身頃――バラバラに裁断された女のからだの部分をつないで、ブラウスに縫い上げるのである。

一人の主婦、時沢サチ子にもどって、ひと月になる。あのときの傷口は、サチ子だけしか知らない。前よりも少しばかり丁寧におかずをつくり、ミシンを掛けている。信号でとまったバスのすぐ下をのぞいて、サチ子は、あっと声を上げた。すぐ目の下を、オートバイにのった男の腰につかまって笑っているのは峰子である。

ひどくなつかしいひとに逢った気がした。声をかけたい。何か言いたい。しかし、信号が青にかわり、二つの車はどんどん離れて遠くなっていった。

幸福

夏の結婚衣裳というのは、縫う身にとっては気骨の折れるものである。汗じみをつけたら弁償ものだし、灯を慕って飛び込む羽虫も、純白の布地には禁物だった。

素子は冷たいタオルで額や首筋の汗を拭きながら、裾の縒《よ》り絎《ぐ》けをつづけた。

二十七の年までまじめに洋裁店のお針子をして来た。一流会社のＯＬには及ばないが、腕の上った分だけ収入《みい》りも増えている。クーラーを取りつけるぐらい何でもなかったが、素子は買わなかった。クーラーをつけたら、一生このアパートから出られなくなる。自分にそう言い聞かせ、意地を張ってきたのだが、うまくゆくと涼風《すずかぜ》が立つ頃には目鼻がつきそうな予感がする。

他人の結婚衣裳を機嫌よく縫えるのは、素子に恋人が出来たせいであろう。

去年の夏はこうではなかった。

水商売のひとの長いドレスを仕立てるときは何でもないのだが、花嫁衣裳を縫っていると矢鱈《やたら》に癇がたかぶった。

「人は嫁取り婿取るなかに
　わたしゃ日向《ひなた》で虱《しらみ》取る」

そういえば一針一針布目をすくっては縫う手つきは、田舎の年寄りが虱を知らない素子たちにこううたいながら教えてくれた虱取りの手つきと同じである。素子は、そういう歌を思い出した自分に腹を立て、絶対にしてはいけないことをしてしまった。冷たいタオルで腋の下を拭ってから、仕上げたばかりの花嫁衣裳を着てみたのである。着てみたところでどうなるものでもなく、鏡には、年よりも老けた暗い顔が映っていた。

黄ばみも匂いも無いことをたしかめて納品したのだが、店のマダムは点検しながら、ドレスの腋の下に鼻をくっつけた。何も言われなかったが素子は屈辱でからだが熱くなった。

素子は軽い腋臭《わきが》があった。

就職をせず、美容師の夢をあきらめ、自分のうちで出来る洋裁を選んだのはそのせいである。

隣りのテレビが七時のニュースを喋《しゃべ》っている。きりのいいところで針を置き、夕食にしようと腰を浮かしたとき、アパートの管理人がドアを叩いた。

呼出し電話は伊豆からで、七十になる父親が倒れたという知らせであった。

着替えの下着だけをほうり込んだボストン・バッグを抱えて、素子は工場裏の近道を駈け出した。

大森から蒲田にかけて、林立する大工場に囲まれて取り残されたような町工場の一画がこのあたりである。

ちょっと見には立ち腐《ぐさ》れて死んだようだが、生きている証拠に機械油と切り子のやける匂いがした。切り子というのは旋盤やフライス盤で鋼材をけずり加工するときに出るクズである。

町を区切って羽田の海へ注ぐ海老取《えびとり》川や呑川《のみ》は、上げ潮なのか、むっとする海の匂いとゴミの匂いがぶつかり合い、暗いのを幸い臆面もなく匂っていた。

暗い水面はコールタールみたいに固く揺れ、まばらな明りをちらつかせている。ほとんどの町工場はシャッターをおろしているが、細い光と音が洩れているのは残業をしているのである。オートメ化のすすむ大工場の下請けや試作品などで、景気もそう捨てたものではない。

野口鉄工所もあかりがついていた。

しもた屋を改造した、主人と従業員一人の町工場である。

数夫はここで旋盤工として働いていた。

夜鍋仕事を終り、油まみれの両手を古新聞で拭きながら、息を弾ませて駈け込んで来た素子の姿を見ると明らかに当惑した。

「父ももう年だし、息のあるうちに逢っといてもらいたいの」

もともと口数のすくない男だが、急のことで驚いたとみえ、古新聞をボロ布に替えて黙って両手をこすっている。

「駄目？」

「駄目ってことはないけどさ」

「まだひと月にしかならないのに、おやじさんのところへ引っぱって行かれるとは思わなかったなあ。参ったなあ、でしょ」

「そうでもないけどさ」

「そのままでいいから。お願い」

あとは首ひとつ丈《たけ》の高い数夫の目を見ながら、じっと待っていればいいのである。

父親が死にかけているというのに、男を誘い手繰り寄せているたかぶりがあった。

数夫はちょうど三十で、年の離れた妹と二人で住んでいる。

気の迷いを動作にあらわして、のろのろと着替えをしているが、これはいつものことなのだ。はっきり物を言わず金にも時間にもいい加減である。人生にも、と言ってもいいかも知れない。ゆっくりと無感動に、牛が草を食むように仕事をし、牛が反芻するように素子を抱いていた。

大学入試にしくじり、腰かけのつもりで手伝った町工場にずるずると居ついてしまったらしいのだが、先行きの希望があるわけではなく、二十年前の父だったら、こんな男のどこがいいのだと言ったに違いない。

今の父親は、そんなことを言う筈もないが、言われたら、こう言い返すつもりでいる。

「人を好きになるのに、理由はないでしょ。お父さんだってそうじゃないの」

父親の勇造は、伊豆のさびれかけた観光地で女と暮していた。

「びっくりしないでね。相手の人、すごく若い人だから」

と数夫に釘をさしておいたが、一緒に暮している多江はたしか四十を二つか三つ出たところである。十年前、釣に出掛け、荷物一時預りの店をやっていた多江と知り合って、妻子を捨てたかたちで伊豆へ行きっきりになってしまったのである。

母親の生きていた間は素子も父を恨み、一生許すまいと思っていたが、母を見送り父も高血圧を抱えていると聞いて、この二、三年、正月には顔を出すようになっていた。

伊豆へ着いたのはかなり夜更けである。

レジャー開発から見放された駅は、旅館の客引きの姿もなく、暗い電灯に羽虫がむらがっていた。

勇造の、いや多江の店は、駅から歩いてひと息の海沿いの旧街道にある。

「釣竿貸します」

木切れに書かれた一点一劃もおろそかにしない肉太の筆の字を、

「これ、お父さんの字」

うしろに立つ数夫に示しながら、もし父が死んでいたら、これは形見に貰ってゆこうと咄嗟《とっさ》に考え、あわてて打ち消しながら、しみだらけのカーテンを引いてあるガラス戸を叩いた。

「素子です。東京の素子」

自分でもびっくりするほど切羽つまった声だった。くる途中の、はじめて連れ立って旅に出るような気分だったのが、急に済まなく思われたのかも知れない。

ところが、勇造はこの正月に見た通りの元気な顔で、布団の上に坐ってテレビを見ていた。

「お父さん、起きて大丈夫なの」

入って来た娘を見ると、勇造はギクリとした様子でそっぽを向いた。これもいつもの通りである。

「一時はどうなるかと思ったんですけどね」

顔もからだも、声まで丸い多江は、数夫をちらちらと見ながら、屈託のない笑顔を見せた。

「一体どしたの」

「生徒が来ちゃったんですよ。昔の」

「生徒？」

「荷物預けに来たお客さんが、あ、校長先生！」

「お父さん、どした」

「汗いっぱい掻いちまって。何年の何組だ、なんて聞いて——生徒といったって、もう四十に近い中年男でしたけどね」

勇造は教育畑一筋に歩いて来た人間で、最後は中学校の校長であった。停年でやめた途端に、固く厳しく己れを律して生きて来た反動なのか、どんでんが来た。一度にたががゆるんでしまったのである。

多江は、このあとは勇造の声色まじりで仕方ばなしになり、

「『元気でやンなさいよ。先生も元気でやるから』」

天皇陛下そっくりの手つきで手を振ってみせ、

「お客さん、出てった途端に」

白目をむいて、わざと数夫のほうへ倒れかかってみせた。

紹介もされず、半端な感じでいる数夫が気の毒になったのであろう。

ただの目まいではなかったのか、と聞く素子に、

「あとから考えりゃ、そうだったかも知れないけど、こっちにすりゃ大事な預りものだからねえ。万一のことがあると」

もう一度数夫のほうへ笑いかけた。

「先生」

多江は昔から、勇造をこう呼んでいた。

「先生もほら挨拶して。素子さんのご主人でいいんでしょ」

「まだそういうんじゃないんだけど」

「顔見せに来たわけだ。ほら、先生」

体中の水気がなくなって、ポキンと音がしそうに枯れているが、骨太で姿勢のよさは、校長先生の昔と変っていない。バツが悪いのであろう、いつもはじめの一時間ほどはわざととぼけたふりをするのである。

素子が数夫を紹介しようとしたとき、ガラス戸を叩く音と、

「ごめん下さい」

すこし、しわがれた女の声があった。

待っていた姉の組子が来たのである。

「お姉ちゃん」

出迎えに立とうとする多江を押しのけるようにして、素子が立った。

「乗り遅れちゃってさ。熱海からタクシー」

「取られたでしょ。熱海からじゃ」

「そんなことよかお父さんどうなの」

荷物を預けに来た客から校長先生と呼ばれた一件を素子がはなすと、

「バチだ」

さばさばした言い方で笑い飛ばした。

遅れて出て来た多江に、

「お世話になってます」

お義理でない声で頭を下げ、奥へ入ろうとして、数夫を見て凍りついたように呟いた。

「どして数夫さん、ここに来てるの」

組子の呟きが聞えなかったのか、多江がのんびりと紹介した。

「こちら、素子さんのご主人」

と言いかけて、

「まだ、そうじゃないらしいけど」

こわばる組子と数夫、それから素子を順に見て、言葉をのみ込んだ。

「知ってるんでしょ。逢ったこと、あるんでしょ」

ほんの一瞬だが、沈黙があった。

天井の低い六畳の茶の間は、海の湿気か風を通さない向きなのか、それとも捨てることを忘れたようにごたごたと積み上げたがらくたのせいか、煙草臭い饐《す》えたような老人臭でいっぱいになった。

どちらかといえば小柄で、地味な顔立ちの妹とは正反対の姉である。

大ぶりで華《はな》があった。妹を正座で楷書とすれば、姉は膝を崩した行書草書であった。格別の化粧もしていないのに、艶なところがあるのは、此の十年、喫茶店を振り出しに水商売で過して来たせいであろう。

組子は、妹を見て、ふふと小さく笑い声を立てた。

「知ってるのは、この人のお兄さんのほう」

多江に話しかける形で、説明した。

「あたしね、十年前にこの人のお兄さんに振られたのよ」

素子は、このときの数夫を、その目の色を、どんなかけらでも見逃すまいとした。気張って言えば、この瞬間の二人を見たくて素子は数夫をここまで引っぱって来たともいえた。

衝撃を受けている組子にくらべて、数夫はほとんど表情が変らなかった。

「お兄さん、お元気ですか」

声音はどこまでもカラリと明るかったが、聞きようによっては小さな棘《とげ》があった。

「全然逢ってないけど、元気じゃないかな」

「兄弟なのに、駄目じゃないの。もっとも、そんなものかも知れないわねえ。あたしたちだって似たようなもんだ」

それから素子に向って、いつ頃からのつきあいなの、とたずねた。

素子は、割に最近よ、と答え、

「びっくりした？」

と姉の目のなかをのぞき込んだ。

「どうしてあたしがびっくりするの」

好奇心をあらわに見せて、食い入るように三人を見ていた勇造が、いきなり数夫に飛びかかり殴りつけた。

老人とは思えぬ素早しこさで、あっけにとられ無抵抗の数夫を更に二つ三つブン殴り、驚いて止めようとする女三人をはねのけた。

「とめるな。こういう人でなしはな」

咽喉をぜいぜいいわせながら、折り重なるようにしてからだごととめる女たちを振りはらって叫んだ。

「お前はな、女の一生を滅茶苦茶にしたんだぞ。それをよくものめのめと」

組子が割って入った。

「お父さん、違うのよ。この人、弟よ」

「え？」

「あれは太一郎さん。お兄さんのほうでしょ」

「だから兄さんだろ」

「そうよ。あれはお兄さんのほう。この人は弟よ。どして弟、殴るのよ」

「え？　だから、結婚するといいて、ドタン場でお前捨てて、いいとこの娘と一緒になって」

「それはこの人の兄さんよ。お父さん、間違えてるのよ」

尚も言いつのろうとする勇造に、組子は低い声で言った。

「昔のはなしはよしましょ。誰だって蒸し返されたくないはなしはあるのよ」

お兄さんの代りに弟、ぶってるのよ、お父さんと言われた勇造は、今度は急に自分の頭を抱えてうずくまった。

痛い、頭が痛いとうめく勇造に、妹のほうは姉より邪険だった。

「お父さん、頭痛いわけないでしょ。痛いのは数夫さんのほうよ」

この三人には、何か不思議なつながりの糸がある。そうにらんだのであろう、多江は黙って三人を見つめていた。

素子にしても、もしあのとき勇造が殴りかからなかったら、いま、三人はどんな顔をして、どんなやりとりをしていたのか、ちょっと見当がつかないのである。


ひとつしかない蚊帳を三人にゆずって、勇造と多江は次の間の四畳半に引っ込んだ。次の間といったところで、この二間しかないうちである。

枕の用意がないので、多江は座布団にタオルを巻いたのを三つつくりながら、最近勇造が夢中になっているのは、テレビの着付教室の時間だと囁いた。

「あれ、ほら、和風のストリップの逆でしょ」

二人の娘の間に、どんなわだかまりがあるのか、勇造は知ろうとも思わないのか、水のような色をした目を空に据えてゆったりと縁先で団扇を使っている。

数夫がまず蚊帳のなかにすべり込み、一番端に横になった。

灯を落したうす明りのなかで、組子は多江から借りた浴衣の寝巻に着替えている。一足早く、素子は白いスリップのまま、蚊帳にすべり込み、数夫の隣りに横になった。

蚊帳のそとで、臙脂《えんじ》色の伊達巻《だてまき》をしめていた組子の手がとまった。

だが、それはごくわずかの間で、また、シュッシュッという蛇が石垣を這うような伊達巻の音がして灯が消え、団扇を持って組子が蚊帳に入って来た。ならんで横になる三人の息がいつもより荒いような気がする。

「なんだってあたしたち呼んだんだろうねえ。大したことないのに」

組子が小声ではなしかけてきた。

襖を少しあけてある隣りの部屋の蚊遣りの煙を気にしながら、素子も小さい普通の声で、

「こんなに世話してますってとこ、見せたかったんじゃないの」

とだけ答えて、あとはまた闇と、三人の息遣いだけになった。

海からも山からも風の気配はなく、じっとりと汗ばんでくる。

素子は、口が渇いてくるのが判った。

気持とからだがたかまってくる前触れである。

本人が気にするほどじゃないよ、と死んだ母は言ってくれたが、あれが、あの匂いが
――腋の下からひろがってくるのは、こういうときである。

素子は、隣りの数夫の手を探した。

お姉ちゃん、あのときのこと覚えてる？

高校三年の夏、いまと同じように蚊帳のなかにならんで横になりながら、はなしをしたあの晩のこと。

素子が、将来美容師になる、高校を出たら美容学校へゆきたい、と言ったとき、組子

は反対した。

「あんたは美容師に向かないと思うけど」

どうして、と食い下る素子に、組子はひとこと呟いたのだ。

「言わなくても判るでしょ」

もしかしたら、あのことか。

一番言われたくないあのことか。

からだが熱くなってくるのが判った。

組子は、妹の返事がないのを、意味が判らない、と受け取ったらしい。

「あんたはまだ美容院にいったことないから判らないだろうけど、シャンプーだってカットだって、お客の顔のとこに美容師の腋の下がくるんだよ。別の仕事を選ぶべし。こういうこと言うのは、姉妹だけなんだから、ありがたいと思わなきゃ、駄目だぞ」

言いにくいことを言うとき、組子はいつもこういう言い方をした。わざとガサツな、無神経な言い方をして、相手をグサリと刺すことで、傷つけたほうと、傷ついたほうは相討ちになるのである。

子供でもそのくらいの察しはつかないでもなかったが、もしそこに刃物があったら、素子は姉の胸を刺していたに違いない。

だけどね、お姉ちゃん。

もう心配はいらないのよ。

いま、この瞬間、たしかにあたしのからだは匂っているけれど、もっと強い匂いがしない？

数夫さんの指。

数夫さんの首筋。

それから数夫さんの腋の下。

沁み込んだ機械油の匂いがするでしょう。

頭のてっぺんから足の先まで。そうなのよ、旋盤やフライス盤の作業をする人は、安全靴という頑丈な、上から工具が落ちて来ても大丈夫な分厚い靴をはくのがきまりなんだけど、それでもどっからか沁み込むのね。足の爪の間まで、機械油の匂いがするのよ。

素子は足を数夫の足にからませた。

はじめてのとき、数夫さんは、

「おれ、匂うだろ」

ポツンと言ったわ。

「キャバレーいったら、女の子に言われたよ。うちのお父さんと同じ匂い、するって。坐っただけですぐ判ったって」

もてないわけだよ、と呟いた数夫さんに、あたしはお返しをしたの。

汗ばんでいる右の腋の下を、あの人の顔に押っつけたわ。押っつけながら、あの人の目を、顔の表情を、からだの、全身の気持をみつめたわ。あの人は深く息を吸い込んだ。あたしのあの匂いを吸い込んだ。もし、すこしでも、嫌だという感じ、我慢しているものを感じたら、その場ではね起きて帰るつもりだった。二度と逢わないつもりだったわ。

でもね、お姉ちゃん。

数夫さんは、ゆっくりと静かに息を吐き、もう一度深く吸い込んだのよ。

小さな男の子が、はじめて花の香りを嗅いだときの顔だと思ったわ。

この顔をお姉ちゃんに見せたい。そう思った瞬間、首筋がうしろに反って、体中の血管の先が一斉にお湯になって、腰が抜けたようになったのよ。

あの晩のお姉ちゃんのことばじゃないけど、

「言わなくても判るでしょ」

というところね。

組子が、寝息をたてはじめた。

姉は寝ていないな。

息苦しいから、眠ったふりをしているのだ。

お姉ちゃん、と揺り起して、もうひとつのあのことを聞いてみたい。素子はそう思った。

姉と数夫は、

捨てられた男の弟。

兄貴が捨てた女。

本当にそれだけなのだろうか。二人の間に目に見えない糸が張られているように思うのは思いすごしなのだろうか。

「またやってる！」

多江の声が聞えたのは、このときだった。

「何べん言ったら判るの」

闇の中で、明らかに多江は叱責していた。

声は店のほうから聞えてきた。

寝巻の前をはだけた勇造が、客から預ったボストン・バッグをあけて、中のものを引っぱり出したところを押えられたのである。

「預りもの、開けちゃ駄目だって言ったでしょ」

「なんも盗《と》りゃせんよ」

「盗《と》らなくたっていけないの。うちはこれで食べてンのよ。あのうちは、黙ってなかを見るって言われたら、誰も預けなくなるんだから」

「爆弾入っとったらどうする」

「そんなもの入ってるわけないでしょ。先生、さあ、早く寝よ」

痰がのどにからまったような切ない咳と、布団をめくる物音がつづいて、やがて静かになった。

校長時代は愚直なほど、曲ったことの嫌いな父親であった。

お歳暮だかお中元に、商品券を持って来た父兄があった。

菓子折と重ねてあったので母はうっかり受け取ってしまった。夜遅く帰ってきた父は即刻返してこい、とどなり、母が夜更けに着物を着替え、出掛けて行くのを見た覚えがある。

あの父が、他人の荷物を覗いている。

多江の口振りでは、時折あるらしい。

七十歳の父は、一体なにを覗いているのだろう。何が見たいのだろう。

組子の肘《ひじ》が素子にあたった。

何か言いたいのか、と顔を向けると、組子が涙でいっぱいの目で、泣くような顔で笑いかけた。

「お姉ちゃん」

気がついたら、子供の頃の声が出ていた。

もう数夫の手は握っていなかった。


枕がかわったせいか、こなれの悪い夢を見たような気がするが、目をあけた途端に消えてしまって、あとには取りとめのないけだるさが残る。

特に夏の夢は、どうしてああも疲れるのか。

夢の中の季節も夏は夏なのであろう。

素子は、からだで隣りの数夫を探した。

いない。

反射的に、反対側の組子をさぐっていた。組子は、ううん、と低くうめいて寝返りを打った。

数夫は、濡れ縁に坐って、庭を見ながら煙草をすっていた。

庭とは名ばかりの狭い空地である。

荷物預りだけでなくビールや清涼飲料水も扱っているとみえて、白く埃をかぶったケースが重ねてほうり出してあり、雨ざらしで腐りかかった麦ワラ帽や、道からほうり込まれたのかつぶれたジュースの空きカンが転がっている。

散らばったゴミの間を縫うように、朝顔や紫蘇《しそ》、虚弱児童のようなとうもろこしが丹精されている。

暗い中で、煙草の煙が流れている。

素子は、ひどく安らかな気持になった。

何年か先の、数夫と自分の姿だと思いたい。

妻が眠っている。

枕もとの縁側で、夜中に夫がひとり闇のなかで煙草をすっている。妻は、夢うつつの中でいつもと同じ夫の煙草の煙を嗅ぎ、まどろみにもどってゆく。朝の目覚めには、そんなことも忘れている。

子供の頃、ご不浄に起きて、同じ光景を見たような覚えがあるが、記憶違いかも知れない。

いや、たしかにある。

母は、いびきをかいて眠っており、父がひとり縁側で、庭を見ながら煙草をすっていた。父の髪はまだ黒かったし、肩の肉も分厚く――そうだ、あれはたしか、父が家を出るすこし前ではなかったろうか。

そうすると、夜中にひとり、闇を見ながら煙草をすっていた父は、何を考えていたのか。

新しい伊豆の女、つまり多江のことだったのか。

捨ててゆく妻や二人の子供の行末だったのか。

数夫と、夫婦になれたとしても、自分にも、かつての父や母と同じ夜があるのか。

不意に大きな影が、数夫のうしろに立ちふさがった。

勇造である。

手を伸して、いきなり数夫の頭をなでた。

「こぶが出来とる」

もう一回なでた。

「昔から腕っぷしは強かったんだ。指角力やらしたら、職員室でもわしに敵うものはひとりもおらんかった」

勇造は、誘うように手を出した。

水のたまった水色の目は、泣くともつかず笑うともつかず、闇のなかで光っていた。

数夫は、火のついた煙草を庭にほうり、手を出した。

「どうだ、え？」

「うむ、こりゃ強いや」

「強いだろう」

二人は時々、うなったり声をかけ合ったりしながら指角力をしている。それは互いに認め合い許し合う儀式であった。素子は、姉の組子を突ついて起した。姉と妹二人が大事にしていたものを、認めてもらったという感じだった。こういうとき、姉に対するわだかまりはどこへ身をかくすのか、姿も見せないから不思議である。

隣りの部屋からいびきが聞えるのは、多江である。

なにかというと、元校長の人生を棒に振らせた女だと言い、

「罪が深いわねえ」

思い入れたっぷりに見得を切ってみせたりするのだが、肥って猪首《いくび》なものだから、稀代の悪女のつもりらしいが、こけし人形にしか見えない。

どういういきさつでこうなったのか知らないが、楽天的な若い女にかしずかれ、空気のいいところで、ときどき、客の荷物を覗いて叱られたりしている毎日は、父の人生のなかで一番幸せなときではないかと思えた。

多江が大きな声で寝言を言った。


組子の店のオープンが決った。

表通りの和風スナック「こうじ」である。

五坪かそこらの小店でも開店の前の日は徹夜になる。居抜きで、つまり什器《じゆうき》食器すべて在《あ》りものではじめる場合は兎もかく、曲りなりにも皿小鉢から揃えるとなると、瀬戸物屋が持ち込んだものを、割れを改め、正札をはがし、水洗いして棚にならべるだけで

ひと仕事である。

「初めてのとき、思い出すなあ」

手伝いに来ている素子が、酒屋の納品書を整理している組子に声をかけた。

「お姉ちゃん、算盤《そろばん》、忘れちゃってさ」

「算盤だけじゃないわよ。もっと大事なもの忘れたじゃないか」

「そうだ……」

ちょうど十年前になる。

組子が、蒲田の裏通りで店を出したときのことだった。コーヒーとカレーの店で、左前になった畳屋の片側を安く貸してもらってはじめたのだが、店を開けて十分たっても二十分たっても客が入ってこない。

入れ替り立ち替り覗き込むことは覗き込んでいるのだが、ドアを押して入ってこない。

この店にすがって、出ていった父のあと、母と娘二人、食べてゆかなくては、と背水の陣ではじめただけに、頬のあたりがこわばってくるのが判った。随分工夫して、客が入り易い雰囲気を考えたつもりだが、気軽にドアを押せないなにかがあるのだろうか。

客の気持になっておもてから見てみよう。二人はそう言いながらドアの外に出て、あっと声が出てしまった。客が入らないのも当り前で、

「只今準備中」

の札が風に揺れていた。

こういう思い出ばなしをして、肩をぶつけあって笑っていると、天にも地にもかけがえのない姉妹だという気がしてくる。

せわしなくドアが開いて八木沢が入ってきた。

この店のオーナーである。

錦糸町でバーのやとわれママをしていた組子を引っこ抜いたのは、この男である。

「オープンに、校長先生、来ないかな」

八木沢は、このあたりにけちなゲーム・センターやスナックを二、三軒持ち、ひろげ過ぎた分だけ手形に追われて、年中忙しがっているのだが、勇造の教え子で、今でも校長先生と呼んでいる。

「くるわけないでしょ。自分の娘が男にお酒つぐとこは見たくないんじゃないの」

「そりゃ昔のはなしよ。人間て奴は、環境でころりと変るんだよ」

「変るものもあるけど、変らないものもあるわよ」

「そりゃそうだ。人知れず胸に仕舞った一粒の真珠だけは変らないってこともあるよな」

八木沢は、昔から組子に惚れているふしがあった。

組子は、さすがに水商売十年だけあって、こういう八木沢を軽くいなし、つかず離れずのつきあいをつづけているらしい。

それより素子は、姉の言葉が気になった。

組子にとって変らないもの、というのは、なんだろう。

「素子ちゃん、綺麗になったねえ」

「そりゃそうよ。『只今準備中』だもの」

組子は、手をとめて、準備中の札を目で探しながら、八木沢に笑いかけた。

「相手は八木沢さんも知っている人よ」

素子が数夫の名前を言うと、八木沢は、咽喉のつまったような声を出して、組子の目をのぞき込んだ。

「ママ」

かすれた声でこう言うと、二つ三つまばたきをした。

信じられない、と言っているようでもあり、ママはいいのか、賛成なのか、と問いただしているようでもあった。

八木沢もなにか知っている。

知っていて、みんな言わない。

どうでもいいことはしゃべりまくるのに、肝心のことになると、貝のように固く口を閉ざして黙り込む。

ひとりの女が、そのために七転八倒しようと、そんなものは、何も見なかった目で通り過ぎてゆくのだ。

素子は、洋裁の仕事を一時休んでも、姉の店を手伝うつもりだった。工場で働く数夫に四六時中つききりというわけにはいかない。

それよりも、姉のそばにいたほうがいい。もし、二人の間に何かあれば、それが今も残っていれば、どちらかひとりにピタリとくっついていれば必ず判る。

素子はせっせと正札をはがし、小鉢の糸底まで綺麗に洗いあげた。

「すまないなあ、素子ちゃん。オープンのとき、店のほうも手伝ってくれるのかな」

こういう言い方には馴れている。

「日本においとくの、もったいないなあ。外国いったら、素子ちゃん、大モテだよ」

これと同じである。

チーズの匂いと同じで、好きな人はたまらなく好きだが、苦手な人もいる。出来たら、店の手伝いは遠慮してくれないかな、という意味なのだ。

「せっかくだけど、オープンの日ぐらい、お客で来させてよ」

そう答えて、八木沢を安心させた。

伊豆から帰ってから、数夫からは連絡がない。姉の手前、遠慮しているのかも知れない。兎にかく、明日のオープンには、数夫をさそい、一緒に来よう。

出来たら、数夫とならんで姉に酒をついでもらい、三三九度の代りにしよう。

「こうじ」のオープンの夜は、生憎の雨になった。

足許が悪いせいか、出足のほうもう一息で、素子が引っぱるように連れていった数夫と、カウンターの内ともつかず外ともつかず、半端な形で立っている八木沢のほかには、初老の男が二人、競馬新聞に目を走らせながら、陰気に飲んでいるだけだった。

八木沢は、今夜は白い上衣を着てめかし込んでいる。安手なところはあるが、二人きりでこのての男とエレベーターに乗り合わせたりすると妙に息苦しくなり、どういうわけか唾《つば》が出て、さとられずにのみ込もうとすると、ゴクンと言ったりする。

色気がある、というのかも知れない。

組子は、数夫をほとんど見なかった。

客にビールをつぎ、素子や八木沢に話しかけた。数夫のほうも、造花にさわったり、立てつづけに煙草をすったりして、話しかける素子に相鎚を打っている。

むしろ八木沢のほうが気を遣って、数夫にライターで火をつけてやったりしていた。

「そうだ。八木沢さんともつき合ってもらおうかな」

思い切ってこう言ったら、あとはすらすら出た。

「お姉さんにお酒ついでもらいたいの」

「頼まれなくたって、つぐわよ。商売だもの」

「商売じゃなくて特別……」

「特別？」

「わざわざ、式あげるの、大変だから」

「三三九度って意味？」

「そう出来たら、いいなと思うけど。あんな親がついてちゃ、嫌かな」

姉の前で、数夫に、何か口を利かせたかった。

いや、そんなことないよ、でも、はぐらかしの言葉でもなんでもよかった。

数夫は、ポツリと言った。

「おやじさん、好きだな」

組子は、黙って数夫に酒をつぎ、素子についだ。

八木沢は何も言わず、新しい煙草に火をつけた。

ドアが勢いよく開いて、客が飛び込んで来たのはこのときである。

労務者風の若い男だった。

かなり酔っており、荒い息を吐いて入口の柱にもたれかかっている。

「いらっしゃいませ」

氷を割りながら、組子が声をかけ、あらと驚いた声になった。

「錦糸町から、わざわざ来てくれたの？」

傘無しで歩いて来たのか、男は頭も肩も濡れていた。

組子はお絞りを手にカウンターを出た。

「それにしても、よくここが判ったわねえ」

言いながら、お絞りで男の肩を拭こうとした。

男は、ぐうと咽喉仏を鳴らすと組子にもたれかかり、急に引きつったような顔になった。組子がよろけた。

素子は、組子が男の足を踏んだのかと思った。男は二、三歩下り、からだごとドアにぶつかって外へ飛び出して行った。手に光るものを持っていたが、咄嗟には見当がつかなかった。

なにかおかしなものを感じて、素子が腰を浮かしたとき、組子が笑い出した。

いや、笑うように呟いた。

「あたし、刺されたみたい」

左上膊部から血が滴《したた》り、白い浴衣に赤いしみをつけた。

映画のコマ落しを見るような気がしたが、またたく間の出来ごととも思えた。

あとは、叫び声と右往左往だった。

八木沢は救急車と一一〇番と叫び、素子は、布《きれ》！　布《きれ》！　早くしないと血が出ちゃう、と布巾で傷口を押えた。

客は、男を追って店の外へ出ていった。

数夫だけが違っていた。

金縛りにあったように、凍りついて動かなかった。蒼ざめて、組子の目だけを見つめて、立ちつくした。知らない人が見たら、刺されたのは数夫だと思ったに違いない。

「名前も知らないのよ、あの人。どうしてこんなことをするのか、あたし、判らない」

数夫に向って、こう呟いていた。


男はその足で派出所に自首した。

黙ってなかへ入り、日誌をつけている若い警官の机の上に、静かに包丁を置いて、

「水をください」

と言ったそうだ。


組子の傷は全治十日であった。

太い血管を傷つけていたし、潮どきというのか派手に血が流れたので肝をつぶしたが、一週間もすれば店へ出られるという。

警察から戻った八木沢は、興奮していた。

「ひどいはなしだよ。あの男菊本っていうんだけど、錦糸町の店へ通いつめたらしいんだな。ママに夢中になって、カウンターに坐って、結婚してください——ママにすりゃ、客商売だよ、いやですとも言えないから、ええ、いいわよ、うれしいわ。手ぐらい握らせて、そのくらいのこと毎晩言ってますよ。あの男はそれを真に受けたらしいんだな。ママ、急にこっちへ来たもんだから、人の気持踏みにじったというんで——。まあ殺す気はなかったらしいがね」

「よかった、大したことなくて」

病院の入口で落ち合った素子と八木沢は、エレベーターで病室へ上っていった。

「なんのかんの言っても、やっぱり姉妹ね。あたし、大したことないって判ったとき、ぱあっと涙が出たわ」

エレベーターをおりた二人は、病室をたしかめるため正面の看護婦控室へ入っていった。

「不思議なのよ。その涙が、お湯みたいに熱いの」

「そりゃ同じ血が流れてるんだもの」

看護婦控室は、夜の検温にでも廻っているのか誰もいなかった。

ドアを出ようとしたとき、不意に組子の声が聞えた。

「あたし、刺されて当り前よ」

無人の部屋に、くぐもった組子の声が響いた。

「神様っているのね。天罰を受けたのよ、あたし」

病室からの声はインターフォンであった。

「十年前のあのときの罰なのよ」

あとから入ってきた八木沢が、ポカンと口をあいて素子の顔を見た。

「違うよ。絶対違う。罰を受けるとしたら、兄貴だよ。おれだよ」

数夫の声だった。

今まで聞いたこともない烈しい声がした。

八木沢が、インターフォンの、そこだけ送話中のサインのついている赤い突起を押そうと手を伸した。

素子は、八木沢の手に自分の胸を押しつけ、胸で八木沢の手を包み込むようにした。

「ドタン場で、あんた捨てた兄貴が悪いよ」

「だからって、弟と間違いすることはなかったのよ」

「間違いじゃないよ」

「間違いよ。たった一度のああいうの、世間じゃ間違いって言うのよ」

「違う。すばらしいことだよ」

素子は、からだが震えてくるのが判った。

「さそったのは、あたしだわ」

「いや、おれだよ」

からだの震えを八木沢に悟られるのは口惜しいが、どうしても最後まで聞きたかった。

「一生忘れられないことだよ」

「忘れなきゃ駄目よ。そうでなきゃ素子、可哀相よ」

「すまないと思ってるよ。でも、焼火箸、押しつけたようなものだから。やけどの痕がはっきり残って消えないんだよ」

「あたしも同じだわ。刺された傷よか、そっちのほうが疼《うず》くわ」

「しゃべらないほうがいいよ」

「いいの。二人きりでしゃべるのは、これでおしまいだもの。そうでなけりゃ、素子が可哀相だもの」

インターフォンから流れていた声が沈黙した。

素子は息が苦しくなった。

どんな辛いことでもいい。しゃべって欲しかった。沈黙は、居ても立ってもいられない怖ろしさがあった。

「素子のこと、好きなんでしょ」

「好きだよ」

さっきの烈しい声ではなかった。

いつもの数夫の声だった。

「この間ね。一緒に八幡様、いったの。隣りで拝んでるあの子の肩見てたら、急に涙出て来たのよ。この子、何、拝んでるんだろう。一生懸命やってるのに今までいいことなかったもの。このままじゃ、あんまり可哀相だもの」

数夫が何か言いかけた気配があって、スイッチが切れた。入ってきた年輩の看護婦が事務的な手つきでスイッチを切り、立っている二人を不思議そうに眺めた。

病室へ向う長い廊下を素子は歩いていた。ひとりでに足が前に出るのが不思議だった。

妄想を打ち消しながら、打ち消し切れなかったものは、やはり本当だった。十年前に、数夫は姉と至福のときをわかちあっていた。

「おどろいたろ」

八木沢だった。

驚いてはいない、と素子は言った。

「そんな気、してたから」

「だったら、なんでこういうことになったの。姉さんと、たとえ一度にしても、そういうことのあった男は――よけて」

素子は小さく笑って、スキーをしたことはないかとたずねた。

スキーのとき、斜滑降で、谷側の足に力を入れたりからだを傾けると谷側へ落ちてゆくが、それと同じだと言った。

「そっちへいっては危い。そう思うと余計、そっちのほうへいってしまうものよ」

「この人だけはよそうと思うと、余計そっちへ吸い寄せられてゆく……」

八木沢はうなずいた。

「そういうことあるな。でもね」

立ちどまって、

「それじゃ、幸福は摑めないよ」

素子は、答の代りに、笑ってみせた。泣く代りに、精いっぱい笑ってみせた。

「言っちゃなんだけど、おれ、ずっと長いこと、姉さんのほうが美人だと思ってたけど、あんたもいいねえ。いい顔するよ」

八木沢も、この男にしてははじめて聞く、沁《し》み沁《じ》みとした声だった。

二人は病室の前で立ちどまった。

ひと息入れて、ドアをあけた。

組子は左手を吊ってベッドに半身を起し、数夫はすこし離れた窓ぎわの椅子に腰をおろしていた。二人ともおだやかな顔をしていた。

素子は明るい屈託のない声で叫んだ。

「あら、数夫さん。ここにいたの」

八木沢も負けずに気負って報告した。

「犯人、つかまったよ」

素子は、姉の枕もとに、用意して来た洗面道具を置きながら、不意にあの匂いを嗅いだ。

夏になると身を縮めて暮してきた、あの匂いである。素子は一瞬、自分だと思い、すぐに間違いに気がついた。

匂いは、組子であった。

「姉ちゃん。タオル、絞ってきてあげようか」

半信半疑で囁くと、

「匂う?」

姉は、ふふと笑った。

「気がたかぶると、匂うのよ。うち、おばあちゃんがそうだったらしいね。こういうの隔世遺伝て言うんじゃないの」

病院を出ると、闇のなかから急に街の匂いが押し寄せてくる。

大工場も町工場も明りは消えていた。

旋盤もフライス盤も、昼間の火照《ほて》りが消え、静かに眠っている。眠っているのに、昼間と同じ匂いがする。人と同じように機械にも寝息があるのか、それとも、昼の移り香が、夜の闇のなかでもう一度濃く匂い立つのか——。

素子、数夫、八木沢の三人は黙って歩いていた。

八木沢が自動販売機の前で足をとめ、罐ビールを三つ買った。

ビールを飲みながら、また歩いた。

「あんた見ていると、苛々《いらいら》するんだよ」

八木沢は数夫の顔を見ないで言った。

「惚れたのなら惚れたでいいよ。どうしてはっきり言わないの」

数夫のくぐもり声がポツンと答えた。

「判んないことは、言えないよ」

三人の前を、猫が横切った。

どこへなにしにゆくのか、牡なのか牝なのか、身のこなしでは、まだ若猫らしい。

立ち腐れた工員寮のなかへ消えていった。

「気持ってやつは見えないから」

「見えなきゃ判んないか」

数夫は無言で、ビールの泡をすすり込んでいる。

「でもねえ、やる奴ぁやるんだよ。判んなくたって見えなくたって——判んないから、見えないから、尚やるんだよ。かなわないよ、あんた、あの男にさ。今晩、ママ刺したあの男にさ」

返事のないやりとりには、三人の足音が、問になり答になった。

「やったことは滅茶苦茶だよ。だけどね、男としちゃ、すくなくとも、あんたよか立派だよ」

八木沢は、なにも言わない数夫に対して、だんだんと苛立ってきたようだった。

「ひとのことは言えないんだ。やつは、おれよか立派だよ」

それから、叩きつけるように叫んだ。

「あんたは男のクズ！」

もっと大きな声で、もう一回どなった。

「オレも男のカス！」

罐ビールの罐を立ち腐れの工員寮に向って大きくほうり投げると、ひょいと手を上げた。

すこしやわらかい声で、

「校長先生によろしくな。あの人、一番偉いよ」

そのまま横へ曲っていった。

素子はすこしおかしくなった。

事件のことは知らせてくれるな、という姉の言い分を聞いて、伊豆のほうには何も連絡をしていない。

今頃、老いた父親は、あの海べりのひしゃげたようなうちで、父娘ほどの年の違う肥えふとった愛人と眠っているに違いない。

夜中にそっと起き出し、預りもののボストン・バッグをそっと開けてなかのものを引っぱり出して覗く。

年若い愛人にとがめられ、はずかしめられる。

あれが、老人の性《さが》なのだ。回春なのだ。

素子は数夫の手を探った。

骨太な指である。

無口で、何を考えているか判らない指である。だが、まぎれもない男の指である。

指をさぐっていると、指は男のからだのような気がする。挟みつけ握りかえしてくる。

やっと気がついた。

あのとき、はじめてのとき、油臭いだろ、と数夫が言い、そのお返しに素子が、数夫の頭を抱くようにして自分の腋の下に押しつけたとき。

数夫は、組子を思っていたのかも知れない。

あの安らいだ顔は、十年前に姉とわけ持った、一回の至福のときを思い出していたのだろうか。

風が止《や》んだせいか、掘割りの匂いがきつくなってきた。

「上げ潮だな」

数夫はいつも肝心のことは言わない。

大事なことは、心とからだの奥に仕舞って流れにまかせて生きてゆくのが好きなのであろう。

「それじゃ、しあわせ摑めないよ」

八木沢の声が聞えてくる。

姉の心とからだがまだ住んでいる男のそばで苦しみ澱《よど》むより、川の流れではないが、海へ出て、別な世界で生きるほうが、世間で言うしあわせかも知れない。

しかし、握り返してくる数夫の指の力を信じて、もうすこし、ここに居たいと素子は思った。苦しい毎日だったが、苦しいときのほうが、泣いたり恨んだりした日のほうが、生きている実感があった。

これも幸福ではないのか。

数夫が手を放さなかったら、一緒に数夫の家へゆこう。妹が出て来て嫌な顔をしてもかまわない。黙って上り、数夫とならんで朝まで眠りたかった。

胡桃《くるみ》の部屋

結婚式は無事に終った。

我ながらよくやった、と賞《ほ》めてやりたかった、といっても、花嫁は桃子ではない。桃子の同僚のリエである。桃子のひとつ下だから二十九歳の花嫁だった。桃子の演《や》ったのは、花嫁の親友という役どころなのだ。自慢じゃないが演りつけている役なので馴れているつもりだが、今日のは少しこたえた。もしかしたら、花嫁の席に坐るのは桃子かも知れなかったからである。

「新郎の関口さんは、私たちの編集部ではいつも二番手でした。でも私たち女の子には一番人気でした。二流の大学を出た次男坊というのが、肩が張らなくてちょうどいいのです。美男子でない、というところも、女に自信を持たせてくれました。新人の女子社員は若さで、親がよくて土地や家のある女の子は固定資産で、私のような売れ残りは実《じつ》で迫りました。自分でいうのもなんですけど、私はかなりいい線を行っていたと思います。そうなんです。あの晩残業の帰りに、酔っぱらった関口さんがラブホテルの前で私の手をギュッと握ったとき『ウワァ、凄い握力！』なんて茶化さなかったら、今日は私が白いベールをかぶって花嫁の席に……」

とスピーチしたら、披露宴の席はどんなことになるか、思っただけでからだがカッと熱くなってくるが、勿論これは昨夜スピーチの稽古をする前に、頭のなかで呟いてみただけである。

実際の桃子は、去年の暮にスーパーの福引で当った三分の砂時計を使って練習した、新郎新婦の何よりの理解者という感じのスピーチを精いっぱい嬉しそうにしゃべって、ちょっとした拍手をいただいた。嬉しそうにしゃべっているうちに、本当にそんな気持になってしまい、感動で語尾が震えてしまった。この辺が桃子のおかしなところであろう。

花嫁は泣いた目をしていた。もう一息で三十の大台というところでゴールインできたのだから、三三九度のとき涙をこぼしたのだろうと思った向きが多いらしいが、それは深読みというもので、実は化粧室でちょっとした騒動があったのである。

お色直しに貸衣裳だが打掛《うちかけ》を着る。だから結髪とかつらだけはホテルの美粧室で頼むことにしたが、化粧はプロの手を借りずに自分ですることにしていた。すすめたのは桃子である。花嫁のリエは不服そうであった。

「メイクの料金、たったの千円よ。一生に一度だもの、あたし頼みたいな」

「一生に一度だから、自分ですべきよ。他人にやってもらうと、別な顔になっちゃうから」

なになにすべき、というのは桃子の口癖である。

「そうかなあ」

「あなたの顔はあなたが一番よく知ってるのよ。三十年つき合った顔を、一番大事な日に他人にまかせることないじゃない」

「二十九年よ、あたしは」

「どっちにしても、結婚式場のCMに出てくるような十把ひとからげのお嫁さんになってもいいの。あたしだったら絶対に嫌だな」

ひとの世話をやいているうちに、自分が当事者のような気になり、強引に押し切るのも桃子のやり方なのだ。

女の身内のないリエのために、当日桃子は朝早くから付きっきりで世話をやいたのだが、美粧室で、首の廻りに白布を巻きパタパタポンポンやっていたリエが、アッと叫んで、片手を阿波踊りのようにくるりと引っくり返してみせた。

「大変だ。忘れちゃった」

まつ毛をカールさせる器具を忘れたというのである。

桃子はフフと笑いながら、自分のバッグからその器具を出して、鏡台の前に置いてやった。

「こういうことがあるんじゃないかと思って持ってきたのよ。役に立ってよかった」

リエは、真白い羊のような顔で、桃子を見つめた。

「あんたには何から何までお世話になったわねえ」

「いいから早くしなさいよ」

口を半分開け、鏡に顔をくっつけるようにして、まつ毛をカールさせていたリエが、またアッと叫んだ。今度のアッは前のより深刻である。

リエのまつ毛は、片目分そっくり無くなっていた。桃子の貸したまつ毛カーラーにくっついて取れてしまったのである。まつ毛を巻き込む部分のゴムが、古くなったせいか酸化してベタベタしていた。入念にギュッと巻いたときにくっついてしまったらしい。

「どうしよう。こんな顔じゃ出られないわ」

鏡台に泣き伏したリエの背中を桃子はドンと叩いた。

「あたし、謝らないからね。謝ってる閑《ひま》に、地下のアーケードへいってつけまつ毛、買ってくる」

美粧室を飛び出しながら、男ならこういうとき、「ざまあみろ」と言ってるところだなと思った。やっぱり神様はおいでになるのだ。ひとの物を横盗りした人間には、罰をお与えになっている。

だが、こんな気持は一瞬のことで、あとは全力で駆け出した。

桃子は、つけまつ毛に右と左があることを始めて知った。桃子もリエも、化粧はアッサリしているほうなので、つけ方がよく判らない。結局、美粧室のメイク係の世話になってしまった。

「おっしゃっていただけば、つけまつ毛、うちのほうにありましたのに」

と言われたりして、結局桃子は祝儀袋に千円包んで渡す破目になってしまった。

桃子はいつもこうである。

ひとのために、しなくてもいい世話をやく。一所懸命やり過ぎて裏目に出る。その分を更に引き被ったりするから損ばかりしている。現に、つけまつげの代金千八百円も桃子の持ち出しである。

「ねえ、夜、大丈夫かな」

「え？」

「つけまつ毛、取れないかしら」

「特殊な糊だから大丈夫じゃないかな。それとも、もう夫婦なんだから、正直に白状しちゃったほうが、あとあとのためにはいいかも知れないわよ」

そのくらい自分で考えなさいと答えればいいものを、大真面目に夜の部の相談にまでのっているのだ。

考えれば阿呆らしいはなしだが、ともかく気持の奥にかくしているものを見すかされることなく、東京駅で新婚旅行に出発する新郎新婦を万歳で見送ることが出来た。

編集部の連中は、これからカラオケバーへ繰り出すらしい。

「あたしは失礼するわ。寄るとこあるから」

わざと声を落して、さりげなく言うのがコツである。

「また鶯谷ですか」

「結婚式のあとは恋人のとこへ寄りたくなるものですか」

イエスもノーも言わず、意味をもたせて目だけで笑って別れるやり方も、此の頃覚えた。そんなわけで、桃子はいま、鶯谷駅のホームに坐っている。

やり切れない気持になったとき、張りつめていた糸がプツンと切れそうになったとき、桃子は鶯谷駅のベンチに坐りにくる。

恋人なんて居るわけがない。

居るのは、歩いて十分ほどのところに、若い女と一緒に住んでいる父親である。

桃子の父親がうちを出たのは三年前である。

中どころの薬品会社につとめ、堅物で通っていた父である。母親、桃子の弟と妹。家族五人、贅沢《ぜいたく》の味は知らなかったが、暮しに不自由することはなかった。

ところがある日、いつものように出勤したきり、父親は帰ってこなかった。徹夜マージャンや外泊などする人間ではなかった。事故を心配して、次の日勤め先へ電話した母親は、一月も前に会社が倒産していたことを知らされた。

「お父さん、弱味見せない人だったから。宿酔《ふつかよい》でも口を押えて会社へ行く人だったから。会社潰れたって言いにくかったのかねえ」

「お母さんがいけないのよ。二言目にはお父さんを見なさいって、奉《たてまつ》るんだもの。お父さん、あとに退けなくなっちゃったのよ」

母娘喧嘩をしてみても、あとの祭りであった。

父親からは、三月たってもウンともスウとも言ってこなかった。母親は毎日少しずつ痩せていった。思いあぐねた桃子は、父の部下だった都築をたずねた。

「自殺も考えられるし、やっぱり捜索願を出したほうがいいんじゃないでしょうか」

流行《はや》らない喫茶店だった。

冷えたコーヒーには膜が張っていた。

父親よりひと廻り下だから、もうすぐ四十の都築は、立てつづけに煙草をふかしてから、

「三田村部長は生きてますよ」

言い難そうに呟いた。

鶯谷のゴミゴミした露地奥のアパートに住んでいるという。

どうしてそんなところに——叫びかけた桃子の口を封じるように、都築は煙草の輪と一緒にもう一度呟いた。

「ひとりじゃないんですよ」

都築のうしろに、ルノワールの絵が懸っていた。安物の複製だった。ころころに肥った胸許をはだけた若い女が、ぼんやりとした顔でこっちを見ていた。顔がすこし曲っている。

「年は三十五、六かな。おでん屋といっても屋台に毛の生えたような代物らしいんですがね、そこのママをしている人だそうですよ」

ルノワールは、たしか女中を奥さんにした人だ。このモデルがその人かしら。頭のてっぺんの薄くなった初老の画家が女中部屋に夜這いにゆく図柄がチラチラした。老画家の顔が、父親そっくりになっている。

桃子はそのアパートに連れて行って欲しいと頼んだ。

「行かないほうがいいと思うなあ。男には面子《メンツ》というものがある。三田村部長は人一倍、それの強い人だし。表沙汰にしないで、時を待つほうが利口じゃないですか」

アパートの場所を知って置くだけだから。絶対に中へ入らないから、と桃子は食い下った。

「お父さん、血圧高いほうだし、万万一のとき、死に目ぐらいには逢いたいわ」

仕方がない、という顔で都築は伝票に手を伸した。

かなり年代物の木造モルタルアパートの前に立ったときは、もう日が暮れていた。玄関に小学校のような大きな下駄箱があり、土間には子供の運動靴やサンダルが散乱している。

さあ、行きましょう、という風に肩を叩く都築の手を振り払って、建物横手の人一人やっと通れるほどの空地へ歩き出そうとしたとき、取っつきの部屋のガラス窓があいた。男の手首が伸びて、窓に干してあった女物のブラジャーと下穿きを取り込んでいる。

「お父さん」

目隠しの板で顔は見えないのだから、あのときどうしてこう言ったのか、自分でも判らない。

下着を引っぱり込んで、ガラス窓は音を立てて閉った。

「ごめん下さい。ごめん下さい」

大きな声で叫び、目隠しの板を叩いている桃子を、都築は引っぺがすようにして言った。

「今日は帰ろう」

桃子は都築の胸に飛びつくと、おでこをもむようにして荒い息を鎮めた。帰りに振り返ったら、ガラス窓の内側には色の褪《さ》めたカーテンが引かれていた。

一朝事ある場合、桃子は必要以上に張り切るところがあった。その気《け》はあったのだが、その晩から更に拍車がかかった。「戦闘態勢ニ入レリ」という実感があった。


目黒駅を降りると、桃子はうちへ公衆電話をかけた。

受話器を取ったのは、中学三年の妹陽子だった。

「晩ご飯食べちゃった？」

「お姉ちゃん待ってたんだけど、おなか空いたから、いま食べようって言ってたとこ」

「よかった。とっても嬉しいことがあったから、お姉ちゃん、鰻《うなぎ》おごるから、待っててよ」

「嬉しいことってなによ」

「食べながら話す」

父親が食卓に並ばなくなってから、食べるものは目に見えて粗末になっていた。鰻重など久しぶりのことである。

「月給でも上ったのかい」

母親は、お母さんはいいのに、勿体ない、と言いながら、それでものろのろと口を動かし、大学二浪の弟研太郎は泡くって掻き込んだものだから、つっかえたりしている。

妹が、

「なんだか気味悪いなあ、夜中に一家心中なんていうの、やだからね」

とおどけたところで、桃子はわざと陽気に切り出した。

「お父さん、元気だったのよ」

みなの箸《はし》が止った。

「仕事見つかったら、帰ってくるつもりじゃないかな」

母親が鰻重を下に置いた。

「どこに居るの」

「下町のほう」

「下町ったって」

「お父さん、ひとりじゃないんだって」

盛大に口を動かしながら、桃子はくくと笑ってみせた。

「女のひとと一緒にいるらしいのよ。お父さん、今まで脇目もふらず、まっすぐ一本道歩いてきたでしょ。会社潰れたんで、びっくりしてヒョイと横丁へ曲っちゃったのね。挫折したとき、浮気やなんかしてる人のほうが抵抗力あるわね。うちのお父さん、免疫がないから」

桃子は会話が跡切《とぎ》れて、空白が出来たときの母親が心配であった。

生真面目で、これといった趣味もなく家計を切り盛りして、夫に尽し、子供を育て上げることだけで更年期を迎えようとしている母親は、それでなくても愚痴っぽく情緒不安定であった。

女のひとは小さなおでん屋のママさんであること。お父さんはおでんが好きだったから、よろめいたかな、とふざけたりしながら、桃子は、母親の鰻重を覗いていた。

鰻は母の一番の好物である。残らず食べてくれれば、あとは大丈夫だ。なんとか切り抜けてゆけるだろう。

「お母さんも頭にくるだろうけど、お父さんに休暇やったと思って。乗り込もう、なんて思ったら負けだから。みんなで元気出して、待とうじゃないの」

あとから考えれば小賢しい言い草としか言えないが、そのときは真剣だった。

「お番茶でいいかい」

母親がポツンと言った。普段の声である。

鰻重はカラになっていた。

「あれ？　鰻にお番茶はいけないんじゃなかったかな」

「馬鹿だねえ、鰻に梅干だよ。食べ合わせは」

笑った母親が、急に立って台所へかけ込んだ。

えずく声に桃子が立ってゆくと、母親は流しにつかまって喘《あえ》いでいた。食べたものは綺麗にもどしていた。

「なにも研太郎や陽子の前で言うことないじゃないか」

口許からヨダレの糸を引きながら、母親が桃子をにらんだ。桃子は、母親が上三白眼だったことにはじめて気がついた。

「ごめんね。いつかは判ることだと思って」

お母さんにだけ言うのは判っていたけれど、そうするとどうしても話が深刻になり陰気になる。逆上して、お前、そこの場所知っているんだろう、さあすぐ連れていっておくれ、ということになりかねない。かえっていけないと思ったのよ。これからは、嫌なことはわざと大きな声で面白そうに言うからね。そうしないと、切り抜けてゆけないと思うのよ——そんな気持をこめて母親の背中をさすってやった。

桃子の手を振りはらうようにして、母親が呟いた。

「お母さん、一所懸命尽したと思うけどねえ、お父さん、何が不服だったんだろう」

その一所懸命がいけなかったんじゃないの、と言いたかった。

「このうちには、ユーモアの判らん人間がいるなあ」

いつだったか、夕食の席で、父親がこう言ったことがあった。

そう言った父親が、およそユーモアとは縁のない面白くもおかしくもない人間だから、桃子はおかしくなったが、台所から醤油つぎを持って入ってきた母親は、聞き捨てにならないという感じで、ムキになった。

「お父さん、それ、あたしのことですか」

「なにもお前だって言ってやしないよ」

「じゃあ誰なんですか」

「まあいいじゃないか」

「よくありませんよ。ハッキリ言ってくださいな」

「くどいな。そういうのをユーモアがないっていうんだ」

はた目から見れば、これもユーモアの一種だろうが、失意の父がうちへ帰るのがうとましくなった理由はこの辺にあるのかも知れないという気がした。

母親は行き届いた女だった。整理整頓が好きで、いつ、誰にどこの抽斗《ひきだし》をあけられても恥かしくない、といっていた。家計簿も一円の間違いなくつけるが、日常茶飯でも、曖昧を嫌がり、ハッキリ黒白をつけないと気が済まないというところがあった。着物の着つけなども、衿元《えりもと》をゆったり着ることが出来ず、キュッと詰めて着ていた。

父と一緒に暮しているおでん屋のママというひとは、喫茶店で見たルノワールの絵ではないが、衿元のしどけない、だらしのない女ではないかと思った。

茶の間には、不安そうな弟と妹の顔があった。

母親が、もう一度、切なそうな声でえずいた。その骨張った背中をさすりながら、桃子は自分のなかのいろいろなものを諦めた。もう一息何とかすれば実りそうな恋。女らしいお洒落。決算のときの帳簿のように、この日で赤い線を引こう。

弟を大学にやらなくてはならない。夜学というハンデに苦しんだ父親を見ていたから、研太郎だけは石にかじりついても昼間の大学を出してやろう。陽子にも、お金の苦労をさせずに高校生活を送らせたい。

大丈夫、お姉ちゃんがついてる。桃子はすこしおどけて、ゴリラのボスのように、ドンドンと自分の胸を叩いてみせた。

しあわせは歩いてこない
だから歩いてゆくんだね

桃子は、それまで水前寺清子などハナも引っかけなかった。衣裳も歌い方も泥くさいと馬鹿にしていた。

だが、すぐにも社宅を出なくてはならない。公団住宅の申し込み、ハズレたので安いアパート探し、印鑑証明を取りにゆく、などというときに、ドビュッシイや井上陽水では、どうにも威勢がよくないのだ。

踵《かかと》のペチャンコな靴にはき替え、胸を張って勇ましく歩くときには、水前寺清子が一番いいことが判ったのである。

一日一歩三日で三歩
三歩進んで二歩さがる

…………………


その通りの三年間だった。

獅子奮迅《ふんじん》と猪突猛進。ライオンと猪を一日置きにやっていた。

桃子は職場にも父の家出を言わなかった。

前よりも笑い上戸になった。

よく笑いキビキビと働く桃子に対して、編集部の連中は、

「なにかいいことでもあるんじゃないの」

と噂した。

泊りがけでスキーや海水浴にゆく場合も、桃子だけゆかなかった。

「あたしはちょっと……」

意味深長な含み笑いをして、チョコレートなどを差し入れて仲間に入らないのである。

これも、

「三田村さんはつき合ってる人がいるらしい」

という噂になってはね返った。

恋人のいる女の子は、親に対しては会社の旅行と称して、二人だけの別のところでス

キーや海水浴をしてくるものである。

だが、これは桃子のささやかな虚栄心でありプライドであった。毛玉の出た古いセーターを着るときは楽しそうに笑って着たほうが惨めでなかったからだ。少しでもおかしいものをみつけたら、笑えるときに笑っておきたいと思ったから。笑って自分をはげましたいと思ったからである。

思わせぶりに笑って旅行にゆかなかったのは、費用が惜しかったからだ。遊ぶ暇があったら、母親の手伝いをして、洋裁の内職の裾かがりをしたほうがいい。

すべてが八方ふさがりであった。

いつまで待っても、父親は帰ってこなかった。

桃子は、勤めから帰ってアパートの窓が見えてくると、自分たちの部屋だけ明りが暗いように思えた。ドアの前で大きく深呼吸をして、

「ただいまァ」

勢いよくなかへ入った。

甘いものの好きな母のために、安いケーキや甘栗の包みを提げて帰ることもあった。いい知らせを持って帰れない代りに、温かいものか甘いものを抱えて帰りたかった。

口を動かしているときだけは、母親の愚痴を聞かずに済んだ。食べもので口封じをしたせいでもないだろうが、母親はよく食べるようになった。

どちらかといえば食の細いほうだったのが、

「口惜しい」

といっては冷蔵庫をあけ、

「もうお父さんなんか帰ってこなくてもいいよ」

夜中にビールの小びんをあけるようになった。一年もたつと、

「此の頃の帯は短くなったねえ」

というようになったが、帯が短くなったのではない。母親が肥ったのである。

弟の研太郎は、母のミシンの音を耳栓で防ぎながら受験勉強にはげみ、二流ながら大学の工学部に合格した。

物理化学のほかは、全く物知らずな人間である。公魚《わかさぎ》のつけ焼きを食べていて、

「え？　これ公魚っていうのか」

びっくりしている。

「おれ、ワカサギっていうから、鷺《さぎ》の若いのかと思ってた」

と言う。

「今までにだってこれ食べたことあったじゃないの」

「シラスのでかくなったのだとばかり思ってた」

という具合で、男と女の機微など相談するだけ無駄だった。

講義をやりくりしてアルバイトにはげみ、姉を助けようという気働きもない代り、学生運動だの女の子とのつき合いで曲ったりしないのが取柄である。

妹の陽子も頼りにならなかった。やっと高校生の女の子だから仕方がないが、頼りにならない以上に、この妹には目の離せないところがあった。

出来損いといってしまうと身も蓋《ふた》もないが、すこしゆるんだところがある。欲しいとなると見境いがなくて、子供の時分、よく菓子屋の店頭のアイスクリーム・ボックスから、二つ三つ取り出してはうちへ持ってくる。母親が金を持って謝りにいった。金魚屋のあとについて行ってしまい、警察沙汰になったこともあった。学校の成績も群を抜いて悪かった。

「貰ってくれる人があったら誰でもいい。間違いを犯さないうちにお嫁にやらないと」

父親も母親もそう言っていた。

この妹に対してお手本となるためにも、桃子は品行方正であらねばならなかった。

桃子にとってたったひとつの息抜きは、父のことを聞くために都築と逢うことであった。

「鶯谷はどういうつもりなのかしら」

はじめの一年はお父さんと言っていた。次の一年は、あの人になり、三年目に入って、鶯谷と呼ぶようになっている。

「鶯谷ねえ」

都築のほうも、もう三田村部長とは呼ばなくなっていた。半年ほどは失業していたが、外資系の製薬会社に職をみつけ、暮しのほうも安定しているらしい。桃子が父のことを切り出すと、いつも煙草を出して火をつける。

「桃太郎がついてるから、大丈夫だと思っているんじゃないかな」

桃子のことを、父はよく桃太郎と言っていた。この子が男だったら、という気持も入っていたかも知れない。

「ずい分ヒネた桃太郎……」

「本当に桃太郎だよなあ。犬、猿、キジをお供に連れて、よく頑張ったよ」

「白い鉢巻しめて――ね」

「よくやったなあ。偉いよ」

都築にほめられると、胸の奥が白湯でも飲んだようにあったかくなる。

「なにもかもおっぽり出して、一抜けた、って言いたくなるとき、あるだろ」

「押すだけ」とかいう魔法びんがあるそうだが、都築がまさにそれであった。ちょっとしたねぎらいのひとことで、他愛なく熱いものが上にあがってくるのである。

都築からは、月末になると、必ず編集部に電話がかかって来た。

「今晩あいてるかな。もし都合よかったら、例の件で相談しましょう」

電話口のことばも、いつも同じであった。

例の件というのは、父親のことだが、本当に相談が必要だったのは、一年目まである。

父親のアパートは、都築と相談で、桃子も知らないことにしてあったのだが、母親がどうしても教えてもらいたいと都築の新しい勤め先に乗り込んだり、はじめの一年の間にはかなり昂ぶった一幕もあった。桃子自身も、母親とは別に、父と二人だけで話したいと、仲介を都築に頼んだが、いずれも不成功に終った。

「合わす顔がない」

「申しわけないが死んだと思ってくれ」

二つの答が都築を通じて交互に返ってくるだけだった。

家族に乗り込まれるのをおそれるのなら、住まいを替えればよさそうなものだが、父は鶯谷の最初のアパートを動かなかった。一緒に暮している女のやっているおでん屋がすぐ近所にあるらしい。

あれは父が家を出て半年目だったろうか。

今日こそ直談判しようと、桃子は都築にも内緒で鶯谷へ出かけたことがある。

夕方近くだったが、駅前の大通りを曲ろうとしたところで、父と出逢ってしまった。

父は小さなスーパーから、買物かごを抱えて出てきたところだった。

棒立ちになった桃子の鼻先で、ジャンパー姿の父も立ちすくんだ。古びて飴《あめ》色になった籐の買物かごからは、葱《ねぎ》やトイレットペーパーがはみ出していた。

うちにいたときは、下着ひとつ自分で買ったことのない父だった。桃子は飛びついて、買物かごを引ったくろうとした。

「あたしが持つから」

父は渡さなかった。目だけは泣き出しそうだったが、ムッとした顔をして、凄い力でかごを抱き込むと、桃子を振り切り、赤信号に変りかけているのを無視して、横断歩道を向う側へ走った。通りの真中に、サンダルを片方落したが、取りにもどってはこなかった。

サンダルはヘップ履《ば》きと呼ばれる臙脂《えんじ》色の女物だった。

二台目か三台目の車の腹の下に吸い込まれるのを見とどけて、桃子はそのまま歩き出した。

鶯谷の駅前から、都築の勤め先に電話をして呼び出した。桃子のほうから電話をしたのは、あとにも先にもこれ一回である。

その晩、はじめて都築と二人で酒を飲んだ。

それまでは、喫茶店でコーヒーだったが、その晩からは、食事と酒を都築がおごるのが習慣になった。酒だけではない。都築の前で涙を見せたのも、その晩がはじめてだった。

「お父さん、仕事はしてないのかしら」

「消火器の会社に勤めたんだが、それがどうもインチキらしくてねえ」

女の世話になっている、ということなのであろう。

桃子は、もう父は帰ってこないだろうと思った。娘にあんな姿を見られたからには、からだでも駄目にならない限り、もどることはあり得ない。

「あたし、間違ったことしたのかしら」

「そんなことはない。桃子さん、いつも正しいよ」

「でも、なんか逆、逆へいってしまうなあ、あたしのすることは」

都築が笑い、つられて桃子も笑った。笑いながら、背中を丸めてミシンを踏んでいる母の姿を思い、お天気雨のように大粒の涙をこぼしてしまった。

一度弱いところを見られてしまうと、道がつくというのか、あとは涙を見せることもさほど恥かしいと思わなくなった。月に一度逢って、ちょっと涙ぐんだりすることが楽しみになってきた。

都築の前に坐ると、気持が柔かくなっているのが判った。固く鎧《よろ》っているものを脱ぎ捨てていた。負けいくさを覚悟で砦《とりで》を守っている健気《けなげ》な部隊長の役も、役に立たない犬、猿、キジを連れて鬼退治に向っている桃太郎もお休みにして、意気地のない嫁きおくれの女の子にもどることができた。

「好きなものをお上り」

月給のほとんどを家計費にしていることを知って、都築はいつもおいしいものをご馳走してくれた。

「元気でいるらしいよ。まあ、ここまできたら静観するんだな」

桃子がうなずいて、「相談」はこれでおしまいである。

「こないだのはなし、どうした？　翻訳やってるなんとかって男に、誘われたってはなし」

「あ、あれはもういいの、あたしよか彼にピッタリの女の子いたから、紹介したわ。ちょうど試合の切符二枚手に入ったから、そっちへ廻しちゃった」

「なんだ。またポン引きやってるのか」

「そのほうが気が楽なんだもの。あたし、そっちのほうの才能、あるみたいよ。これ、と目星つけてあてがうと、途中でこじれても大抵うまくまとまるみたい」

都築は黙って桃子のグラスにビールをついだ。

この人にはみんなみられている、自分の引きずっている係累の重さ、それが原因で土壇場になって惨めな思いをするくらいなら、はじめからオリたほうがいっそ気持がいい。そう言いきかせて、サバサバ振舞っているうちに、習い性となってしまった。

「桃子さんは中途半端だからいけないんだ」

「どういう意味ですか」

「絶世の美人なら、どんなに桃ちゃんが逃げたって、人殺ししたおやじさんがついてたって男は追っかけてくる」

「そりゃそうだ」

「どうしようもない不美人なら、もっと謙虚にいい加減のところで下手《したで》に出て手を打ってる。桃ちゃんは十人並みだから、一番始末が悪いなあ」

図星だったから、桃子も大きな口をあけて笑ってしまった。

十人並みといえば都築もそのくちであった。

見かけも才能も懐ろ具合も、どれをとっても中の中に思われた。

「都築さんて、あだ名はないんですか」

「ないねえ、子供のときから」

「なんだかつまんない」

「あだ名のある人間のほうが少ないよ。ラッシュの電車にのって見廻してごらん、あだ名のなさそうなサラリーマンが、吊皮にぶら下ってゆられてるから」

「そういえば、うちの――」

お父さんと言いかけて、桃子は言い直した。

「家族もあだ名はないみたい」

都築にビールをつぎながら、サラリとたずねた。

「都築さんの奥さん、あだ名ある？」

「あれもないなあ」

あだ名のない普通の妻に、あだ名のない普通の二人の子供。普通の建売住宅。三年の間に都築がポツリポツリとしゃべった中身をつなぎ合わせると、およその見当はついていた。

「あだ名のあるのは、桃ちゃんだけだよ」

「桃太郎か」

「だんだん似合ってきたみたいだなあ」

その通りだなと思う。

「仕方ないわ。だってあたし、ご飯のとき、お父さんが坐っていた席で食べてるんですもの」

いつ頃からそうだったのか、いまは思い出せないのだが、丸い食卓で父のところだけポツンとあいているのが嫌で、ごく自然に間を詰めているうちに、桃子が父の席に坐るようになっていた。

ご飯をよそう順番も、桃子が一番先になった。大小にかかわらず、何か決めるときは、みなが自然に桃子の目を見た。

台風接近のニュースを聞くと、

「懐中電灯の電池、入れ替えときなさいよ」

と母に命令した。

冠婚葬祭に包む金額を決めるのも桃子だった。弟や妹だけでなく、母親にまで意見をするようになった。

「メソメソしたって、帰ってこないものは帰ってこないの。そんな閑があったら、眠るか働くかすること！」

なになにすること！というのは、出ていった父の癖である。

弟の研太郎が大学に合格したとき、桃子は弟だけに夕食をおごった。

社用で一回行ったことのある豪華なステーキ・ハウスへ連れていった。自分はサラダだけにして、弟には分厚いステーキをとって祝盃を上げ、仕上げにバーを一軒おごるつもりでいた。

家族全員となると懐ろがたまらないが、こういう場合、昔の父親のやりそうなことをしてやらないと可哀相な気がしたからである。

ところが、研太郎はステーキは食べたくないという。

「おれ、胃の調子が悪いから、ハンバーグがいいな」

頑としてゆずらない。ハンバーグなら、なにもこんな高い店へくることはなかったのに、と中っ腹になっているところへ、肉の皿が来た。

ハンバーグに目玉焼が添えられている。

不意に、デパートの食堂で見た情景を思い出した。

若い工員風の父親と、中学生の息子がハンバーグを食べていたのだが、皿が運ばれてくると、父親は自分の分の目玉焼の、黄身のところを四角く切って、息子の皿に移したのだ。

「あれが父親の姿なんだわ」

桃子は、あの父親と同じように黄身のところを四角く切り、研太郎の皿にのせた。研太郎はびっくりして姉の顔を見ていたが、うるんできた目を見られないように、あわてて下を向いて、あのときの少年と同じように、黙って二つ分の黄身を食べはじめた。

父親の役をやっているせいか、桃子は玄関のまん中に靴をおっぽり出して脱ぐようになった。歩くとき、外股《そとまた》になったような気がする。

都築にそれを言うと、声を立てて笑った。

「内股の桃太郎なんて聞いたことないなあ」

「気持が悪い……」

大きく笑ったはずみに、肩が触れ合った。酒が入っていたせいか、都築も桃子も、あわててからだを引くことをしなかった。

その晩、珍しく酔った都築は「桃太郎」の歌を歌ってくれた。祖母がよく歌っていたという昔の小学唱歌である。

桃太郎さん、桃太郎さん
お腰につけた黍団子《きびだんご》
ひとつわたしにくださいな

都築はバーのカウンターに置いた桃子の手の甲を、軽く叩いて調子をとりながら歌った。

くださいな、というところで、手を重ね、しばらくそのままにしていた。

桃子は、そっと手を引こうとした。

都築は二番に移った。

やりましょう、やりましょう
これから鬼の征伐に
ついてゆくならやりましょう

歌い終りには、また手を握るようにした。

行きましょう、行きましょう
あなたについてどこまでも
家来になって行きましょう

桃子はからだが熱くなってくるのが判った。

都築の欲しいという黍団子は、わたしのことなのだろうか。黍団子をもらったら、あなたについてどこまでも、家来になってやる、という意味なのであろうか。

毎月一回逢うことは、昔の上司の娘に対する同情というより、もっと別のものに育っていたのか。

そういえば、桃子も、今日あたり都築から連絡がありそうだなという日は、洗濯したての下着を着てきている。

「父の相談」という名目で、おたがい気持をごまかしてきたが、これは逢いびきだったのかも知れない。

この三年の間に、育てれば育ちそうな恋を、桃子は自分の手で摘《つ》み取ってきた。ほかに恋人がいるような振りをして、ゆとりをみせて他人に恋をゆずったこともあった。わけ知りぶって、自分に関心を示した男に女の子を取り持ち、仲がこじれると仲裁役まで買って出た。それでもいじけずに、どうやらやってこられたのは、うちのため、母や弟妹のため、ということもあるが、月に一度、気心を許して話せる都築の存在のせいかも知れなかった。

都築は目をつぶり、また一番にもどって低い声で歌っている。はじめて鶯谷の父のアパートへ行ったときのように、胸に飛びついて、おでこをもむようにしたら、この人はどうするだろう。あのときのように背中をさするだけか、それとも、もっと別のところへわたしを誘うのだろうか。

三年も桃太郎をやったんだ。もういい加減くたびれている。

桃子になって、この人の胸にもたれかかりたい。

不意に建売住宅の間取りが見えてきた。

入った取っつきが八畳のダイニング・キッチン。奥が六畳の夫婦の部屋。風呂場とトイレ。二階が四畳半二間の子供部屋。都築のうちである。ピアノの置き場所も、近頃出の悪いというプロパンガスのボンベの位置も、見たことがあるみたいに見える。

この人には妻子がいる。

内職のミシンを踏んでいる母の顔が目に浮かんだ。誰よりも頼りにしている長女が、選《よ》りに選って妻子のある男と――

それは家を出た父親を認めることになる。他人の夫を奪った父の女を許すことになる。

母親は逆上して――父が出ていった直後、やったようにガス管をくわえる騒ぎになる。

桃子は、手を引き、からだを離した。

あと一年。研太郎が大学を出るまでは頑張らなくてはならない。

同じところを繰り返していた都築が、歌詞を思い出したらしく、つづきを歌いはじめた。

そりゃ進め、そりゃ進め
一度に攻めて攻め破り
つぶしてしまえ、鬼ガ島
おもしろい、おもしろい
のこらず鬼を攻めふせて
分捕物をえんやらや
万万歳、万万歳
お供の犬や猿雉子《さるきじ》は
勇んで車をえんやらや

そういう日はこないような気がするが、桃太郎だけ逃げて帰るわけにもゆかないのである。

八幡宮の境内は森閑としていた。

日曜の昼下りである。

由緒あるお社《やしろ》らしいが、手入れが行届かずかなり荒れている。無人の社務所の汚れたガラス窓に、氏子の寄進を求める紙が貼ってあった。買物がてら、内職の仕立物を納めにゆく母と一緒にうちを出て、通り道にある八幡宮へ桃子もついてきたのである。

母は賽銭《さいせん》箱に百円玉をほうり込むと、大きく柏手を打った。

もともと細かいたちだったが、父がうちを出て、収入が細くなってからは一層節約屋《しまりや》になっていた。賽銭は上げたところで十円玉と思っていたので、桃子はびっくりしてしまった。

母は長いこと祈っていた。

桃子も手を合わせながら、母は何を祈っているのだろうと思った。

父の帰りであろうか。それとも、父と一緒に暮す若い女の不幸であろうか。

桃子は、神にではなく、母に詫びたいことがひとつあった。

母にも都築にも内緒で、父と同居している女のおでん屋をのぞいたことがあったからである。母には場所を教えず、絶対に行くな、行ったらお母さんの負けよ、と言っておきながら、父と自分たちの運命を狂わせたひとの顔が見たくて我慢ができなかった。

駅裏の横丁にある小店だった。湯気で曇ったガラス戸を細目にあけると、

「いらっしゃい！」

威勢のいい声がした。

意外であった。

カウンターの内側に立っているから、間違いなくその人なのだろうが、ママというよ り掃除婦というほうがピッタリであった。

年よりも老けた白粉気《おしろい》のない顔は、おどけた女漫才師という感じだった。くすんだ色 物のブラウスに地味なカーディガンを羽織り、スカーフで髪を引っつめに縛っている。

女ひとりなので、あっちも意外だったらしく、

「すみません。いっぱいなの」

七人も坐れば満席のカウンターには、労務者風の男が目白押しに並んでいる。

「いいんです。また……」

意味にならない挨拶で桃子がガラス戸をしめかけたとき、急に女が、あ、と言った。

急に真面目な顔になり、スカーフを取ってお辞儀をした。おでん鍋に頭がくっつく程 の、ひどく切実なお辞儀だった。

桃子を知っている頭のさげ方であった。

ルノワールの絵の女でも、グラマーでも、悪女でもないひとだった。背負い投げをく わされたような奇妙な気持で帰ってきた。

そのことは母にうしろめたかったが、都築とのことで埋合わせをしたような気持だっ た。

あのとき溺れていたら、母を一番に悲しませていた。都築はさりげなく帰っていったが、あの晩のことが原因で自分から離れてゆくことがあったとしても、仕方がない。うちのために、自分は曲ることはできないのだ。気持がめげそうになったら、今までもそうしたように鶯谷駅のベンチに坐って気持を鎮めればいい。父に対する怒りや恨みは、三年の年月で大分風化はしているが、まだおまじないぐらいの効き目はある。

母親が小さく二つ手を叩いた。

三年前にくらべると別人のように肥った母は、肥ったせいか肌理《きめ》が細かくなった。うつむいた衿元が、木洩れ陽に光って、妙に女らしい。

ひと頃は、顔にも物腰にもやつれと恨みが滲んで、我が親ながら浅間しいと思った時期もあったが、そういえば、この半年ほどはゆったりとしてきた。

「諦めて離婚届けに印を押して、もう一度別の人生を歩いてみるのもいいんじゃないの」

と機嫌のいいときに言ってみようかな、と桃子は母の衿足を眺めた。

母がなにを頼んだか知らないが、百円の賽銭は全く効き目がなかった。

弟の研太郎がうちを出たのである。

前から、ミシンがうるさい、といって友達のところへ試験勉強に行っていた。友達というのは男だとばかり思っていたが、女だったのである。徹夜の勉強は、外泊だった。

「卒業するまで待てないのかい」

といった母親に、

「おれ一人分の食費が助かっていいじゃないか」

本と着替えだけ持って出ていったというのである。

桃子はからだが震えるほど腹が立った。大学の教室前に待ち伏せして、弟をつかまえ、引きずるようにして、校門前のレストランに連れ込んだ。

時分どきをはずれていたせいか、店はすいていた。

注文を聞きにきたウェイトレスに桃子は、

「ハンバーグ二つ。上に目玉焼をのせて下さい」

と頼んだ。研太郎と目がぶつかった。

「あんた、あの日のことを忘れたの」

と言ってやる代りに、現物を突きつけてやる。

着たいものも着ず、恋も諦めて、父親代りをつとめた三年を、あんたはどう思っているの。そう叫びたかった。

目玉焼を添えたハンバーグがきた。

研太郎は、ナイフをとると、二年半前に姉がしたと同じように黄身を四角く切って、姉の皿に置いた。

「返せばいいってもんじゃないのよ」

研太郎は、黙ってハンバーグを細かく切りはじめた。

「したことを恩に着せるつもりはないわよ。あんたにかけた月謝の分、返してくれって言ってるんじゃないのよ。あたしはいいけど、お母さんが可哀相だって言いたいのよ」

「そうかな」

「そうかなって、あんた、そう思わないの」

フォークを置くと、研太郎は姉の顔を見た。

「ひとの心配する間に、自分のこと、考えたほうがいいんじゃないかな」

「どういう意味」

「みんな適当にやってるんだよ」

渋谷のハチ公前で待ち合わせをした研太郎は、同じくハチ公の前で人待ち顔の母をみつけてびっくりした。もっとびっくりしたのは、そこに父が現れたことだという。父は何も言わず、先に立って道玄坂をのぼってゆく。二、三歩おくれて母もついてゆく。

「悪いと思ったんだけど、ついていったんだ。そしたら……」

研太郎は、言いよどんで下を向いた。

二人は連れ込みホテルへ入っていった。

「いつ頃なの、それ」

「半年ぐらい前かな」

風船に針で穴をあけたように、体中の空気が抜けてゆくのが判った。

桃子はその足で美容院へ飛び込んで髪を切った。セットの代金を惜しみ、三年前から、パーマもかけずにいた髪は肩のあたりまで伸びていた。

何かしないと、気持の納まりがつかなかった。このままの気持を母にぶつけたら、どんなことばが飛び出すか見当がつかなかったからである。

仰向けに寝て髪を洗ってもらっていると、改めて腹が立ってきた。

半年前といえば覚えがある。

母が身の廻りをかまうようになり、内職仲間で離婚したひとたちの身上相談を持ちかけられている、といっては外出するようになった時期である。

外で父と逢っていたのだ。父がうちにいた頃よりも、もっと女らしくなった。

これでは母のほうが愛人ではないか。わたしはこの三年、なにをしてきたのだろう。

人生はワン・ツー・パンチ

女だてらに父親気取りで、部隊長みたいな顔をして、号令かけて——

おかしくて涙が出てきた。

女としての本当の気持を封じ込め、身も心も固く鎧《よろ》ってすごした三年だった。

胡桃《くるみ》割る胡桃の中に使はぬ部屋

いつどこで目にしたのか忘れたが、桃子はこんな俳句を読んだ覚えがある。たしか詠み人知らずとなっていたが、気持の隅に引っかかっていたのであろう。

甘えも嫉妬も人一倍強いのに、そんなもの生れつき持ち合わせていませんという顔をしていた。だが、薄い膜一枚向うに、自分でも気のつかない、本当の気持が住んでいた。今から気がついてももう遅いのだろうか。実りはもうないのだろうか。渋皮に包まれた、白く脂っぽい胡桃の実は、母の衿足である。

父が家を出ることをしなかったら、母は痩せたギスギスした女として一生を終ったに違いない。ふっくらと肥って、いそいそと父に逢いに出かけていた母は、いま使わぬ部屋に新しく足を踏み込んでいる。

濡れた髪に、美容師が鋏を当てている。思い切って耳の下で切りおとしてもらった。頭の地肌にピタリとくっついたお河童《かっぱ》は、子供の頃、絵本で見た桃太郎とそっくりであった。

(註・「胡桃割る胡桃の中に使はぬ部屋」の作者は鷹羽狩行氏です)

下駄

几帳面というか性急《せっかち》というか、柿崎浩一郎はまだ一日が終らないうちに、その日の日記を頭のなかに書きつける癖があった。

「×月×日　忌引キシテイタ大沢君出社。年寄ヲ抱エタ家庭ハ葬式ニ備エ、身辺ヲ整理整頓シテ置クベシトノ教訓アリ。雑談後、大沢君ニ廊下ニ呼出サル。香奠袋ニ肝心ノ現金入ッテイナカッタ由」

という具合である。

浩一郎の勤め先は四谷駅に近い美術出版社である。社員は五十人足らず。古いビルの一階を営業、二階を編集が使う小ぢんまりしたところだが、この業界では老舗格で、贅沢な営業方針は根強いファンを持っていた。浩一郎は、月刊の美術雑誌のデスクである。

大沢は大学の後輩だった。浩一郎が出た年に入学したというから三十五か六になる。一週間前に父親を喪《うしな》い、今日が久しぶりの出社だった。通夜や葬儀を手伝った社員たちの席を廻って頭を下げながら、

「いやあ恥を掻きましたよ」

持ち前の賑やかな声でおどけてみせた。

「こう急に死ぬと判ってたら、うちのなかを片附けておいたんですがねえ。女房がだらしないもんだから、押入れあければ座布団が降ってくる、洗濯物は突っ込んであるで、もう」

そんな光景もあったらしく、女子社員が顔を見合わせて忍び笑いを洩らした。

浩一郎も七年前に父親を見送っている。祭壇をつくるので葬儀屋の男が、本箱を動かしたとき、本の裏にかくしてあった「あぶな絵」が畳の上に落ちてしまった。「あぶな絵」といっても、仕事柄、名の通った絵師の描いたかなり格の高いものだが、それでも子供たちの目に触れたら面倒である。冷汗を搔いた覚えがあるだけに、半畳も多少親身なものになった。

「葬式ってやつは城明け渡しと同じさ。誰にどこ開けられたって文句は言えないからねえ」

編集長の黒須が、パイプをくわえながらはなしに加わった。

「そんなのは恥のうちに入らないよ」

聞いたはなしだが、といって、或る新聞社の社員のはなしをした。これは葬式ではなかったが、職場で気分が悪くなり同僚が家まで送っていった。その家で、同僚は見てはならぬものを見てしまった。湯呑み茶碗、皿、スプーン、すべて会社の食堂のものだった。スリッパも宿直室の備品だったという。

黒須のあだ名は「美意識」である。

この会社の社長の息子で、若い時分は美術評論家を志したせいか、見苦しいもの醜いものを潔癖に嫌った。社員と一緒に黒須も笑ってはいるが、「美意識」の笑いは、ほかの人間より冷たいものがあった。

笑いを納めながら社員たちが仕事を始めたとき、大沢が浩一郎の肘を突ついた。はなしがあるから、と目で誘って一足先に廊下へ出た。

編集部は仕切りのない大部屋なので、隠れ場所がない。内緒ばなしは近所の喫茶店か廊下でするほか仕方なかった。

大沢は、廊下の取っつきの男子用手洗いの前に立っていた。具合が悪そうに言いよどみながら、実は香奠の中身が入っていなかった、と切り出したのである。

浩一郎は思い当る節があった。

香奠の上書を書いて、いざ金を包む段になったら綺麗な一万円札がなかった。

女房の尚子に、新しい札ぐらい用意しておけよと叱言を言っているのを小耳にはさんだ七十になる母親のたき江が、

「一枚でいいんだね」

と帯を解きはじめたのである。

帯芯のポケットから新しい札をつまみ出し、

「祝儀不祝儀も馬鹿にならないねえ。うちは親戚がすくないから助かるけど」

と言ったところで、勢い込んだせいか持病の発作性頻脈《ひんみゃく》でうずくまってしまった。発作はすぐに納まったが、この騒ぎで手順が狂ったのか、肝心のものを入れ忘れたのである。

大沢も恐縮していたが、浩一郎はもっと恐縮した。

「言って貰って助かったよ」

皺を気にしながら一万円札を差し出し、大沢はちょっとおどけて手刀を切ってポケットに仕舞った。

「近いうちに、精進落しのこれ」

大沢は麻雀牌《パイ》を並べる手つきをしてみせた。

「声かけますから、取り返してくださいな」

「人の顔見て言うことはないだろう」

おたがいのバツの悪さを冗談でごまかした。

浩一郎のあだ名は「牌」である。

エラが張った四角い顔だった。

「大イニ恐縮。一万円取ラレル」

廊下へ出たついでである。手洗いで用を足し、頭のなかに、顔と同じ四角い字でこう書き足した。

あとはいつも通りの一日だった。

顔を合わすたびに大沢がいちいち恐縮をあらわすのが鬱陶しかったが、編集長の「美意識」が気障な能書を言い、腰巾着の三宅という若いのが調子を合わせたのが癇《かん》に障ったくらいで夕方になった。

丁度締切りにぶつかっていた。編集長を来月号の座談会に送り出すと、残りの編集部員は残業の弁当を取り、もう一頑張りしなくてはならなかった。

「来た来た」

女子社員が腰を浮かした。お茶の支度をするためである。

ガランゴロンという下駄の音が、階段を上り廊下をやってくる。新陽軒の出前持ちだ。コンクリート打ちっぱなしの建物のせいか、部屋のなかまで響いた。出前持ちなら、いま流行りのスニーカーのほうが足さばきがよさそうなものだが、調理場が濡れているのかこの社会の気取りなのか、朴歯《ほおば》のような高い下駄を鳴らしてくる連中もたまにいた。

最近よく顔を見せる新陽軒の出前持ちは、ずんぐりむっくりした若い男である。内気というより陰気なたちらしく「毎度」とか「お待ち遠さま」とか口のなかで言っているのだろうが、声を聞いた覚えがなかった。

餃子や焼飯を配り終ってもすぐには帰らず、割り付け用紙をのぞき込んだり、油で汚れた自分の手を気にしながら色見本を触ったりして愚図愚図していることがあった。

新陽軒は構えはわるいが、流行《はや》る店である。店へ戻れば次の出前が待っているに違いない。出たついでに骨休めをしているのだろう。若いのに横着なもんだなと浩一郎は見ていたが、その晩は骨休めどころではなかった。注文を間違えたらしく、三宅が取り替えて来いと言い出したからである。

三宅は、編集長が座談会に出るときはいつも陪食《ばいしょく》を仰せつかっていたのだが、先月あたりから、新しく入った女子社員にお株をとられている。出前持ちに八つ当りをしているようにみえた。

新陽軒は通り二つ裏だが、出前持ちの髪や肩が濡れているところを見ると、夕方から降り出したらしい。

「ひとかたけぐらい、なに食ったっていいじゃないか。酢豚ライスが五目そばになったって死にやしないよ」

浩一郎はすこしムキになって取りなし、自分のと取り替えた。三宅もそれ以上は押さなかった。

新陽軒は浩一郎に頭を下げて出ていったが、また下駄の音をさせて戻ってきた。割箸を割っている浩一郎のうしろに立って、

「すみません。ちょっと」

廊下に出てくれというのである。

新陽軒は、男子用手洗いの前に立っていた。

流行の先端をゆく建築というのは、女より早く老ける。浩一郎が入社した頃は、建築雑誌のグラビアにのったコンクリートむき出しの社屋は、灰色のしみが目立ち、雨の日は濡れ雑巾《ぞうきん》の匂いがする。

それにしても一日のうちに、同じところに二度も呼び出されるとは、妙な日もあるものだ。てっきり礼を言われるものと決めて近寄った浩一郎は、新陽軒が妙に荒い息をしているのを見て気味が悪くなった。

気にするな。元気出してやれ、と肩のひとつも叩いて、と思い、言いかけると、新陽軒が咽喉にひっかかるような声で、

「おたくの」

と言った。

「おたくのお父さんの名前柿崎浩太郎じゃないですか」

「そうだけど。君、うちのおやじ知ってるの」

新陽軒の鼻息はますます荒くなった。

「ぼく、息子なんです」

泣くとも笑うともつかない顔で口をあけたまま、浩一郎を見上げた。朴歯の下駄をはいても背は浩一郎より低かった。


その夜遅く、近所のスナックではなしを聞いた。

新陽軒ははたちだという。名前は松浦浩司と聞いて、浩一郎は、もう一度頭をブン殴られたような気がした。

堅物とばかり思っていた父に女がいた。隠し子がいた。ひとりっ子と思っていた自分に弟がいた。しかも、父は認知こそしていないが、浩一郎にしたと同じように、自分の名前の浩の字をつけてやっていた。

浩司の母親は、若い時分上野の小料理屋で仲居をしていたという。土木関係の半官半民団体に勤めていた父と、そのあたりで縁が出来たらしい。

生れるとすぐ遠縁のうちへ里子に出されたので、父親の記憶は全くない。中学のとき母親は病死したが、学生カバンを提げて病室へ見舞いにいった浩司に、母親は国語の教科書を出させ、扉のところに柿崎浩太郎と書かせた。

それと並んで浩一郎と書かせ、お前の兄さんにあたる人だと教えた。お前と違って勉強が出来る人らしいよ。四谷の出版社に勤めているというから、と言いかけたところで、看護婦が入ってきて、外へ出てくださいと言われたそうな。母親はそれっきり口が利けなくなり、間もなく死んだ。

「就職するとき、やっぱ、四谷あたり探してンですよね。やっぱ、あのときのことが頭にあったのかも知れないなあ」

やっぱ、というのが浩司の口癖らしかった。

出版社関係というと、自分からすすんで出前を引き受けたが、まさか見つかるとは思っていなかった。柿崎という名を聞いたときは息が苦しくなった。

「おたくの立場もあると思って」

絶対に言ってはいけない。そう思ってこらえていたのだが、どうしても我慢が出来なかった、と浩司はくぐもり声で言った。

そうか、それで出前のたびに、すぐに帰らずに愚図愚図していたのか。

「やっぱ、顔も似てるし」

浩一郎も気がついていた。

浩司も、エラの張った四角い顔である。

「俺、あだ名、下駄っていうんです」

「俺は牌だよ。麻雀の牌」

二人ははじめて笑った。

気のせいか、笑い声も似ているような気がする。

「そういえば、おたくのほうが、色、白いもんな」

「待てよ。俺も下駄って言われたこともあるよ。中学のときは下駄だったなあ」

はなしが跡切れた。

浩一郎は、死んだ父親の輪郭を思い出した。あだ名は何と言われていたのだろう。隣りで黙ってビールのグラスをもてあそんでいる浩司も、同じことを考えているのではないか。

「下駄は」

浩司は下から浩一郎を見上げた。

「やっぱ、両方で一足だから」

浩一郎は大きな声で笑いながら、随分重たい冗談だなと思った。俺はあんたの弟なんだ。俺とあんたは兄弟なんだ。そう言う代りに、二人は一足の下駄だと言っている。

ビールをついでやりながら、月給をたずねた。たずねながら、Gパンの尻のポケットから飛び出している浩司の札入れをひょいと抜いて中を改めている自分に気がついてびっくりした。

どちらかといえば行儀のいい性分で、女房の尚子にも母親にも、こんな真似はしたことはなかった。これはまさしく兄弟のしぐさではないか。紙入れの中身は貧しかった。そのまま返すわけにゆかず、浩一郎は一万円札を一枚入れてやった。浩司は黙って見ていたが、ガクンと首を折るようにして頭を下げた。

次の日は日曜だった。

締切りの翌日ということもあって、浩一郎は一日中うちでごろごろしていたが、いつもより無口だった。

お八つに尚子が小玉西瓜を切った。

放射状に六切れに切り、浩一郎と女房の尚子、二人の子供と老母の五人家族が一切れずつ抱え込んで食べる。盆の上に一切れ残っているのを見て、尚子が、

「いつも一切れ残るわねぇ。五人家族って、西瓜やメロン切るの、本当にむつかしいんだから」

と言っているのを聞くと、すこし切ない気持になった。

家族ではないかも知れないが、残った赤い一切れを食べても不思議がない人間が居たんだよ、と言いたくなる。

「新陽軒ノ出前持チノ青年、実ハ異母弟ナリ、驚天動地。取リ敢エズ小遣イトシテ一万円」

本当なら昨日の日記にこう書くべきであろうが、勿論書けるわけがない。昨日から日記は白紙である。一番の真実は、本当のことは書けないということがよく判った。

「近いうちに声かけるから」

浩司とは、こう言って駅前の交差点で別れた。じゃあと片手をあげてゆきかけると、浩司は口ごもりながら、

「兄さんと言っても、いいのかな」

浩一郎は、とっさに返事が出来なかった。

うむ、と声にならない声で、低く唸ったような気がする。浩司は、そんな気配を察したらしく、

「まだ早いよな」

ひとりごとのように言ってテレた。年の割には老けてみえる苦労人の顔になって、雨の上った黒い鋪道を走っていった。

「おい、待てよ」

と呼びとめ、

「苦労したろう」

肩を抱いてやって、

「なんかあったら、俺のとこへ来い」

そう言えたら、浩司はどんなに感激するだろう。浩一郎自身も、気が済むに違いない。判っているが、言えなかった。

気恥かしさもあった。テレ臭さも事実だった。

母のたき江には言うに忍びないというところがあった。

口やかましいが、女の苦労だけはかけたことのない人だった。女としてあたしほど幸せ者はいない。お題目のように唱えることが生きる張り合いになっている老女に、二十年前の、故人になった夫の裏切りを告げたところで、心臓発作を起すのが関の山である。

そのことは浩司にも話して納得してもらってある。

「何分急だから。気持の準備も出来ていないし」

これからも新陽軒の出前は取るだろうが、血のつながりがあることは、当分二人だけのことにしてくれないか、と言った。

浩司をみていると、懐しさ、いじらしさと同じ分量だけ、うとましさがあった。

自分と同じ四角い顔。

幼いときから、他人の家を転々としてきたせいか、人の顔色をうかがうところがあった。

浩一郎を「おたく」と呼び、「やっぱ」「やっぱ」と繰返す言葉癖。中華料理店の出前持ちという職業と相まって、編集長の黒須の美意識が一番うとんじるものであった。そういう男と兄弟だと知ったら、それだけで浩一郎をうとんじる——そういうところのある男だった。

なんのかんの文句を言うようなものの、十七年つとめた職場で、笑い者になったりうとまれたりはしたくなかった。

それともうひとつ。

内輪に内輪にと振舞っているようだが、浩司の言葉遣いの変化というか、順応の早さも、浩一郎にとっては、すこしおっかないものだった。

はじめは、ぼくといっていたのが、一晩のうちに別れるときには俺になっていた。そのうちに「おたく」は「兄ちゃん」になる。

そして——

浩一郎は、それから先のことを考えようとすると、ズーンと頭が重くなってきた。

「新陽軒」と聞くと、浩一郎はそれだけで落着きがなくなった。

残業のない日でも、雨の日などは女子社員はおもてへ出るのを億劫がって、出前を取る。

待っていました、という具合に浩司がやって来た。階段を上る下駄の音も、気のせいか自信に満ちているように聞えた。

いじけた態度はすこしずつ減ってきた。編集部の連中を名前で呼ぶようになり、夜など岡持を提げ、デスクのそばで立ったまま、ゆっくりと夕刊に目を通してから帰ってゆくこともあった。

みんなに紹介していないうしろめたさもあって、浩一郎は、「そのへんにしておけよ」と言い難かった。

浩一郎は、駅前で浩司と出くわしたことがある。

そばに銀色の献血車がとまっていた。浩司は急に、浩一郎にこう言った。

「オレ、献血しようかな」

すこし小さな声で、こうつけ加えた。

「二人並んで、やらないかな」

浩一郎は、正直いって気がすすまなかった。

ベッドにならんで、浩司とならんで、腕に針を刺し、二百ccだかの血を抜き取られる。

二人の血は、ガラスの容器の中で出逢いまじり合って、見知らぬ人の体に入ってゆく。

そこまで考えたかどうかはともかく、浩一郎にとっては、苦痛だった。兄弟仁義じゃあるまいし。

「おたくがやらないんなら俺もよそう」

と浩司もやめたが、こんなにまでして血がつながっていることをたしかめたいのかといじらしくなったのは、このときも別れたあとだった。

「パパ。そんなとこで、何をやってるの」

女房の尚子に声をかけられて、浩一郎は返事に窮した。

日曜日の朝、家族を外に追い出してから、浩一郎は納戸に入って家探しをしていた。

父親の身につけていたものを、何でもいいから一枚、譲って貰えないだろうか、と浩司に頼まれたのである。

ところが、日頃、うちのことを手伝わない罰で、どこに何が仕舞ってあるのか見当もつかない。

積んであるほこりだらけの洋服箱の横っ腹に、母のたき江の手で、「主人茶背広上下」などと書いてある。

しめたと思い、手を汚して紐をほどき蓋をあけてみると、古くなった水枕と氷嚢、湯上りタオルが入っているだけだったりで埒《らち》があかない。

もたもたしているところを、御用になってしまったのである。

このときは、急に思い出して、大分前に使った釣道具を探していたのだと取りつくろったが、尚子は、すこしおかしいものを感じたようで、疑うときにする、相手の目のな

かをのぞき込むような顔をしてから、

「子供たちは、今が一番大事な時期なんですからねえ。パパも馬鹿な真似しないでください ねえ」

という。

馬鹿な真似をしたのは、俺じゃない。死んだ親父のほうだよ、と言うわけにもゆかず、ほこりの舞い上る納戸のなかで往生した。


浩司は住み込みだった。

新陽軒には男の従業員は七人いたが、うち四人が寮で寝泊りしていた。寮といったところで、近所の老朽化した二階建てのビルを安く借りている代物で、形だけのお粗末な台所と、部屋が二つあるだけである。六畳が二間で、二人ずつの相部屋になっていた。

住んでいるところを見ておいて欲しい、と浩司に言われ、浩一郎はのぞいたわけだが、男所帯の異様な殺風景と、異様な猥雑《わいざつ》さはちょっとしたものだった。

ベッドのまわりといわず天井まで、歌手のポスターとヌード写真であった。

枕もとには、食べかけのスナック菓子の袋があり、その上に、縞や柄ものの色とりどりのパンツを干した丸い物干しが揺れていた。

丸く輪になった物干しは、この寮で流行っているとみえて、どの部屋にも二つずつベッドの上で揺れていた。

休みの日には、この色の氾濫《はんらん》に加えて、四人の男たちが、思い切り大きな音量でステレオを聞くという。

浩司がここで見せたかったのは、長い孤独なのか貧しさなのか。どっちにしても、浩一郎は、まるでひとつづきのように浩司の恋人に逢う破目になってしまった。

恋人は君子といって、浩司がよくゆくスナックの店員だった。

若いのに年増みたいな化粧をしていた。肌も年増みたいにくたびれていた。顔立ちは悪くないのだが口元に難があった。歯がひどく出っ張っているせいか、歯に口紅がついていた。

浩司が熱を上げている割には、女のほうはあまり問題にしていないようにみえた。

浩一郎は、君子に、

「お兄さん」

と呼ばれた。

遠くのほうから、ヒタヒタと目に見えないものが寄せてくる感じがあった。気がつくと足を取られ、溺れているのだ。

この辺で線を引かなくてはいけないと思うのだが、いざとなると断われなかった。出前に来た浩司が、色見本をのぞきこみながら、浩一郎のうしろに立ち、

「すみませんが、ちょっと」

という目をしてから、先に出てゆく。

ガランゴロンという下駄の音は、有無を言わさないものがあった。

手洗いに立つ風をよそおって廊下へ出ると、浩司は一番はじめに、父の名前をたずねた場所に立って浩一郎を待っていた。

まだらにしみの浮いた、うすねずみ色のコンクリートの壁の前に立って四角い顔に見つめられると、抵抗出来ないところがあった。気がつくと、うんと言っていた。

父親の七回忌が近いこと。

多磨墓地に柿崎家の墓所があることも、気がついたらしゃべってしまっていたのである。


その日は日曜だったが、朝七時に武蔵小金井駅で待ち合わせた。

接待ゴルフがあって、どうしてもその時間でないと墓詣りはつき合えないというのが口実である。

浩司は先に来て待っていた。

珍しく黒っぽい背広姿で、細長い箱を抱えていた。

多磨墓地までの途中、これから運動会という小学校があった。

小学校はどこだったのか。

駆けっこは早かったのか。

怪我をしたことはなかったのか。

運動会のとき、応援に来てくれたのは、誰だったのか。

聞かないほうがいい。聞けば、一歩一歩ぬかるみに足を踏み込むことになる。判っていたが、並んで墓地の並木道を歩けば、聞かないではいられなかった。

「柿崎家歴代之墓」は、明治の元勲のそばにあるせいか、ひどく小ぢんまりとみえた。

浩司は、持って来た一升瓶の栓をあけ、墓石の上から注いだ。死んだ母親に酒が好きだったことを聞いていたのであろう。

浩一郎は、すこし不安になった。

この二時間ほどあとに、老母や女房子供を連れて、もう一度墓詣りをしなくてはならない。そのときに墓石が酒臭いのは困るからである。

天気もいいことだし、アルコール分はすぐ飛んでしまうだろう。匂ったら匂ったで、誰か友達でも来たのだろうととぼけていれば済むことだ。

浩司は、いきなりかけ終った一升瓶を浩一郎のほうに突き出した。底のほうに三センチほど酒が残っている。

墓石に酒をかけろという意味かと思ったが、浩司は、瓶の口を掌で拭い、

「おたくから先」

と言った。

父の墓前で酒を飲みかわすつもりらしい。

芝居っ気というかわざとらしいというか、気恥かしいものもあったが、初秋の朝は肌にさらりとして気持がいい。

のんびりした小鳥の声を聞いていると、大したことでもないのに、異をとなえるのがつまらなく思えて来た。

「おたくから、どうぞ」

また浩司が言う。

浩一郎は、手荒いしぐさで一升瓶を引ったくった。

「いっぺん言おうと思ってたんだ。『おたく』ってのは、もうよせ」

そう言って、ぐっとひと口、飲んで、浩司に突き出した。

浩司は、小さい声で、

「兄さん」

と呟いた。

「もひとつ『やっぱ』ってのも、よせよ」

浩司はつんのめるようにうなずき、残りの酒を一気に飲んだ。

浩司とは、武蔵小金井駅で別れた。

浩一郎は急いでうちまで取って返し、女房の尚子の運転する車で、もう一度多磨墓地へやって来た。

朝のうちは準備段階だった小学校の運動会は、スピーカーからマーチが流れピストルの響きが聞えて、かなり盛り上ってきている。

このところ、めっきり足腰の弱くなったたき江を支えながら、墓石の間を墓所まで歩いた。

浩一郎は酒の匂いを心配したが、アルコール分は風に飛んでいた。ただ甘味が残るのか、墓石に大きな黒い蝿が七、八匹たかっているのがおかしかった。

蝿や蚊が嫌いで、晩酌中によく蝿叩きで追わせていた父がよみがえった。

父は、パシッと一発で仕止めないと機嫌が悪かった。うまく一発で仕止めても、蝿などがそのままの形でポトンと落ちないと叱言を言った。叩き過ぎて、蝿や蚊やが潰れて見苦しい様子になるのを見るのが嫌だったのであろう。

「見ぬことときよし。人にいやなことさせといて、お父さんみたいなのを身勝手というんだねえ」

たき江はこうかげ口を利いていた。

尚子が花を供え、浩一郎がたき江の持ってきた線香の束にライターで火をつけた。

いつもするように家族五人が墓の前に並んだ。たき江が浩一郎の脇を突ついた。

「どなたか、知った人じゃないのかい」

浩司だった。

すこし離れたところに立って、こちらを見ているのは、さっき武蔵小金井駅で別れた浩司に間違いなかった。

「いや、知らないなあ。待ち合わせかなんかじゃないの」

さりげなく答えて手を合わせたが、からだが震えるほど腹が立った。

接待ゴルフは嘘と見抜き、必ずここに家族と一緒に来ると踏んで、待っていた浩司に腹を立てた。

堅物と思わせて、実はよその女に子供を生ませ、女も子供も捨てた父にも腹が立った。

お父さんに限ってそんなことはある筈がないと、自分に都合のいいところだけを信じて老いた母にも怒りが湧いて来た。

世の中、そんな綺麗ごとじゃないんだよ。

おやじさんだって生身の男だったんだ。あそこに立ってるのは、俺の弟だよ。そう言ってやりたかった。

お義理に手を合わせている長男と長女にも言ってやりたかった。お前たち、誰のおかげで、生意気言っていられるんだ。あそこに立ってる奴を見ろ。長男の顎が浩司と同じに四角ばっているのも、癪《しゃく》にさわった。

「この辺は空気がいいわねえ」

小さな欠伸《あくび》なんかしている女房にも言ってやりたかった。お前、この間うちから亭主の様子が変だとは思わないのか。大沢のときの香奠袋に一万円入ってなかったので、お前は、あわてて謝っていたけど、もっと大きなことが起っているんだぞ。

年のせいか腹が立つととめどがなくなる。ひとりでは背負い切れない異「弟」という大荷物を背負って七転八倒している自分に一番腹が立ち、図々しい羽音を立てて顔のまわりにむらがる黒蠅を、腕を振り廻して追っぱらった。

隣りの席の大沢が、

「柿崎さん、電話」

受話器を手渡しながら唇を、

「オンナ」

と動かしてみせた。墓詣りの一件の二、三日あとのことである。

「柿崎ですが」

というと、一呼吸あってゆるんだ女の声が、

「お兄さんですか」

馴れ馴れしく呼びかけた。

浩司の恋人の君子だった。

相談したいことがあるという。

昼休みにスナックで話を聞いた。

中央線の大久保駅のそばに、立ち食いそばの店の出物がある。兄貴が資金を面倒みてくれたら、ふたりで中華そばと餃子の店を出したいと彼が言っている、という。

店が出せたら、結婚して上げてもいいわ、ということらしい。

浩一郎は、また鳩尾《みぞおち》のあたりに熱い固りがあがってきた。

本人はどう言っているか知らないが、自分は中小出版社につとめるサラリーマンに過ぎない。家のローンが精いっぱいで、資金援助は出来ない相談だし、そんな気持もない。多少の縁もあることだから、相談にのらないとは言ってないが、自分の生活は自分でやってもらいたい。気がつくと、激しい調子になっていた。

君子は口紅のついた前歯で、ストローを吸っていた。

離れた席に、大沢がいて、こちらを見ている。第三者が見たら、俺たちはどういう間

柄に見えるだろうと、君子が席を立ってから気になった。

浩一郎は、自分でも臍《へそ》を曲げているのに気がついていた。

女子社員が残業弁当を新陽軒から取ろうかというと、

「変り映えがしないねえ。どこか新しいとこはないの」

浩司の顔を見たくないというところがあった。

小一週間ばかりたった頃だろうか。

浩司がやって来た。値上りした新しいメニューを編集部に配って歩いた。浩一郎の席にも一部置き、

「よろしくお願いします」

と言って、背中を押すようにした。廊下で待っているという合図らしい。

判っていたが、浩一郎はゆかなかった。

五分もたったろうか。ガランゴロンと耳馴れた下駄の音がして、浩司が入って来た。

「あら、新陽軒さん、忘れもの」

女子社員が声をかけたが浩司は答えず、また浩一郎のうしろに立った。

「兄さん」

低い声だが、はっきりそう聞えた。

隣りの席で原稿に手を入れている大沢に聞えはしなかったかと肝を冷した。

浩司のあとから、浩一郎も廊下へ出た。

はっきりしない天気が続くせいか、灰色のコンクリートの廊下は、腐った雑巾のような匂いがする。

「けじめを守ってくれなきゃ困るよ」

浩一郎ははっきり言った。

「自分だけが被害者と思うのは間違っているんじゃないかな。立場を変えれば、うちのおふくろも、俺も被害者と言えるんじゃないか」

浩司は涙のたまった目で、浩一郎をにらみ返した。

パタンと手洗いのドアが開いて、編集長の黒須が手の雫《しずく》を切りながら出て来た。あだ名の美意識とは、すこしイメージの違うしぐさだが、

「どしたの、一体」

と言われてあわてたのは、浩一郎のほうであった。

廊下でラーメン屋の出前持ちを泣かしていたと言われては都合が悪かった。

「ひとつで済まないけど、頼むよ」

なにがひとつか自分でも判らないが、この場はこう切り抜けるほか仕方がなかった。

間もなく浩司は叉焼麵《チャシユーメン》を持ってきた。

固い表情で、丼を浩一郎のうしろからデスクにドシンと置いた。原稿の上に盛大に汁をこぼしてしまった。どうみても、わざとやったとしか思えなかった。

この間から腹に据えかねていたものが、浩一郎のなかで爆発した。つけ上るのも大抵にしろ、ブン殴ってやる。手が出かけて、浩一郎はこらえた。

浩司は殴られたかったのではないのか。

ここで殴ったら、俺は一生、こいつの面倒を見なくてはならなくなる。浩一郎は辛うじてこらえ、浩司は要領を得ない詫びの言葉を口の中で繰り返しガランゴロンと下駄の音をさせて帰っていった。

「なにか隠していること、あるんじゃないですか」

女房の尚子に切口上で言われてまごついた。

さては、とギクリとしたが、疑っているのは浩司のことではなく、浩一郎の女関係、つまり浮気と判ってほっとした。

この半年ほど、閑があると浩司につき合った。日曜の家族サービスもおろそかになっていたし、大沢たち編集部の連中を麻雀に招くのも、浩司のことが洩れてはと気を遣って、やってない。自分では気がついていないが、考えごとをしたり得体の知れない溜息をついていたこともあったに違いない。

「こういうことは一代おきだっていうからねえ。うちじゃお祖父ちゃんがやわらかで、お父さんが堅いから――尚子さんも気をつけなくちゃ」

知らぬが仏で、母のたき江はのんきなことを言っているが、思わせて置くことにしよう。

あと三十年も五十年も、と言っているわけではないのである。せめてこの人が寿命を終るまで、浩司のことが耳に入らなければ、まあまあ中位の女の幸福を抱いて、この人は死ねるのだ。

こう思いながら、浩一郎は、気持のどこかで母親の死を願っているのに気がついた。浩司のことが表沙汰になる前にこの人に亡くなってもらわないと――血のつながった子供は、かえって残酷なものである。

或日突然に、全く突然に浩一郎の会社は倒産した。編集長の美意識が会社を潰した、という人もいた。

債権者や第二組合や、火事場と葬式がいっぺんに来たような編集部に、浩司がやって来た。いつものように浩一郎を廊下に呼び出し、封筒に包んだものを差し出した。まずい字で「お餞別」とあった。中には一万円入っていた。

浩一郎は、手刀を切って受け取り、

「もらっておくよ」

と言った。

「新しい勤め先が決ったら」

「新陽軒に電話する」

浩司はうなずいた。それから、

「あ」

と小さく叫んだ。

「爪の形が同じだ」

そういえば、浩一郎の爪も浩司の爪も四角くてずんぐりしていた。

あれから、二月たっている。

そばにいた時は、うとましく思えた浩司の四角い顔も、低い背を余計強調するような高い下駄も、見映えのしないみてくれも、おどおどしているかと思うと結構ちゃっかりしているところも、ひたひたと潮が満ちてくるように、尺取り虫のように音もなく声もなく気がついたらそこにいる、といったあの生き方も、離れてみると、なつかしく思えた。

天にも地にも掛けがえのない弟だという気がして来た。油のしみ込んだ四角い爪の形が目に浮かんで来た。

年が改まる頃になって、浩一郎は、やっと新しい勤め口をみつけた。外神田の小さいビルの中にあるデザイン会社である。

新陽軒に電話してやらなきゃいけないと思ったが、浩司のことで気をもまない久しぶりの休暇のような気もして、もうすこし、知らせないで置こうと思った。

暮も迫っているので、入社早々から、残業がある。年はくっているが、新米である。残業の夜食も古参の女の子が仕切っている。

レイアウトをしていると、廊下から聞えてくる。ガランゴロンという下駄の音である。出前持ちが来たらしい。いまどき、下駄をはいているのは珍しい、と思いかけ、ハッとなった。

もしかしたら、あいつかも知れない。

残務整理をしている前の勤め先に問い合わせ、浩一郎の新しい就職先をつきとめて――かつて四谷だけを頼りに、兄をみつけたように。

心配することはないさ。下駄をはいた出前持ちはあいつ一人じゃないんだ。ガランゴロン。

もうすぐドアがあく。

春が来た

コーヒーの黒い色には、女に見栄をはらせるものが入っているのだろうか。それとも銀色に光る金属パイプとガラスで出来ている明るい喫茶店のせいなのか、直子は自分の言っていることが上げ底になっているのに気がついていた。

「父はPR《ピーアール》関係の仕事をしているの」

「広告の会社かなんか？」

向かいに坐っている風見隆一の長い指が、「キャビン」の箱から一本抜いて口にくわえた。

「大学時代の親友と共同経営でやってるの」

「じゃあ重役ってわけ？」

答の代りに、直子は喫茶店の紙マッチを一本むしって、火をつけた。こういう真似は滅多にしたことがないものだから、もたついて危く指先が焦げそうになる。

「アチ」

灰皿まで間に合わず、マッチの燃えかすは風見の水を入れたグラスに落ちて、ジュッと音を立てた。

「ごめんなさい」

取り替えを頼もうと片手を上げかける直子に、風見は笑いかけると、黙って直子の飲みかけのグラスに手を伸し、ひと口飲んでみせた。

頬に血がのぼってくるのが判った。

二人だけでお茶を飲むようになってまだ五回かそこらだが、もう恋人と呼んでもいいのだ。

「そうお、広告の会社やってるの」

意外そうな風見の目を見るともうあとへは引けなかった。

直子の父親は、確かに広告会社に勤めていた。失業してブラブラしているところを夜学仲間に拾われ、町の小さな印刷屋の下請けをしているのだ。スーパーなどが新聞の挟み込みに使うチラシ類の文案を考えたり割りつけをする仕事である。

「元値が泣いてる山積み大奉仕！」

などという書き損いを、今朝も横目でにらんで出勤してきたばかりである。

壁が鏡になっていて、直子と風見の姿がうつっている。

風見は二十六歳である。朝のラッシュに、地下鉄大手町あたりから地上に吐き出されてくる、社名入りの封筒を抱えた代表的な若手サラリーマンである。

格別美男でもないし切れるという感じでもないが、育ちがいいせいか直子とくらべると姉と弟に見えた。

直子はどう自惚《うぬぼ》れても燻《くす》んでみえた。

十人並みの姿かたちだが、化粧映え着映えのしないたちだった。結婚式などに出ても、あとで「あれ、あのとき君もいたっけ？」と言われることが多かった。おもてで逢っても、紺の上被《うわっぱ》りを着ているみたいな女の子、と上役に言われたこともあった。華《はな》のない影のうすい存在だったのであろう。片思いが二つ三つあっただけで二十七になってしまった。諦めていたときに、取引先の風見と口を利くようになったのだ。

自分のまわりを飾って言うことは、あとになって大きな実りを自ら摘み取ることになる。結婚ということになれば、辻褄《つじつま》が合わなくなるのは判っていた。それでもよかった。いま、この瞬間が惜しかった。

父親の趣味は謡で、自分も幼い頃習わされたこと。稽古のたびに笑うので、遂にあきれて勘弁してもらったが、いまでも少しはうたえるのよ、と、

「これは西塔《さいとう》の傍に住む武蔵坊弁慶にて候」

「橋弁慶」のひと節をうたってみせたりしてしまった。

いったん走り出すと、とめどがなくなった。

母親は父親とあい年の五十三で、お茶とお花の心得がある。そのせいか、いまでも行儀作法にやかましい。麦茶を軽蔑して、「あんなものをのむくらいなら、冷たい水でお薄をお点《た》てなさい」というのよ、と顔をしかめてみせた。

「最高だなあ」

風見のため息はますます大きくなった。

十八になる妹は、詩を書くのが大好きで、ミニコミ誌へ投書して一等になり五万円の賞金を貰ったことがある、と話した。

「マンション?」

と聞かれたので、庭つきの一戸建てだと言うと、風見の吐息はまたひとつ切実になった。

「じゃあ畳の部屋もあるの?」

「あるわよ」

「いまや最高の贅沢《ぜいたく》だなあ」

独身寮にいるせいか、畳や縁側と聞くとそれだけでしびれると言った。

「子供の時分夏休みに田舎へ連れてかれて、縁側に坐って足をブランブランさせながら西瓜を食べたことがあったなあ。従兄《いとこ》たちと種子の飛ばしっこをしてさ」

畳の上で昼寝をするとき、足を壁にくっつけると気持がいいので、よくやった。小さい足の型なりに黒く汚れてあとで叱られたとはなした。

「庭には木やなんか植わってるわけ？」

「木のない庭はないでしょ」

松、楓《かえで》、八つ手。手洗いのそばには南天もあると言ってしまった。

「南天！」

風見は目を閉じてみせた。

「俺、南天なんて何年も見てないなあ」

ぼくから俺になっている。嬉しさで耳たぶが熱くなった。

「君は最高の贅沢してるんだよ」

それから、

「自分のうち？」

とたずねた。

ごく当り前、といった感じで、直子は小さくうなずいた。

「でも、坪数は大したことないのよ」

三十坪足らずの借地で、地主との間にゴタゴタがあり、立ち退く立ち退かないでもめていることは勿論《もちろん》言わなかった。小さな棘《とげ》が胸に刺さったが、酔いのほうが大きかった。

鏡には、直子と風見のほかにも幾組かのカップルがうつっている。このなかで本当のことを語り合っているのは何人いるだろうか。

暮しの匂いとは無縁の、白いピカピカする喫茶店のなかで、恋人たちは自分を飾って語り合い、束の間の夢を見ているのだ。

「フランス料理でも食べようか」

気のせいか、風見の言い方が丁寧になったような気がした。

広告会社の重役の娘で、お茶やお花の心得のある母親を持った、庭のある立派な家に住んでいる娘と思っているのだ。

直子はゆったりとうなずいた。やましさを忘れるためには、酔いに溺れるほかない。

喫茶店を出るとき、ごく自然に風見の腕につかまった。背骨のあたりが、甘だるく溶けそうになった。生れてはじめての気持だった。

風見がタクシーをとめた。

フランス料理を食べさすビストロではなく、もっと別のところへ誘われても、いまの自分ならついてゆくだろうと直子は思った。礼儀正しく先にどうぞとすすめる風見に、

「タイト・スカートだから、あなた先に」

と言ってから、風見さんがあなたになったことに気がつき、今度は首すじのうしろが、スウッと熱くなった。

すこし気取って、先にお尻をシートにつけ、ハイヒールの足を揃えて坐りかけたとき、

せっかちな運転手だったのか、ひと呼吸早くドアが閉った。あ、と思わず声が出て、左足首に痛みが走った。

風見は家まで送ってゆく、と言って聞かなかった。

左足首は痛みと腫れの割りに大したことはなかった。最寄りの診療所の診立《みた》てでは、骨に異常はないから、二、三日で腫れも引くということである。

一人で帰れるからと頑張ったのだが、風見は自分にも責任のあることだからと、強引にタクシーに乗り込んできてしまったのだ。

ネオンのまたたきはじめた街の景色が、タクシーの窓からトランプのカードを切るようにうしろへ飛んでゆく。

飛んでいってしまったのはフランス料理だけではなかった。生れてはじめて味わった恋も、一月で終りになるのだ。直子はぐったりとシートに寄りかかり、ぼんやりと外を眺めていた。

小学校へ入りたての頃、桔梗《ききよう》の蕾《つぼみ》がポンとかすかな音を立てて開くのを見たことがあった。神様は本当にいるのだなと思った覚えがあるが、今夜の神様は薄情である。直子の見栄を許さず、すぐさま、しっぺ返しをなさる。

いま出来ることは、うちの前にタクシーをとめないことだけだ。口実をつくって、露地の入口でとめ、うちをみせないようにすれば、夢を見る時間をもう少し引き伸すことが出来る。

だが、期待は空しかった。

風見は、歩くと足に障ると言い、運転手も「大丈夫、入りますよ」とうちの前につけてしまった。

直子は、はじめて、自分のうちを眺めたような気がした。うす暗い街灯の下で、手入れをしていないケチな生垣は伸び放題に伸びていた。形だけの門のすぐ奥に、半分腐った小さな二階家があった。

玄関の屋根の上に、飴色《あめいろ》になった若布《わかめ》のようなものがぶら下っている。父親のアンダー・シャツらしい、二階の物干から洗濯物が飛んだのがそのままになって雨風にさらされたのだ。

「ここで失礼します」

言いかけたとき、玄関の戸があいて、母親の須江が風呂道具を持って出て来た。

足首に繃帯《ほうたい》を巻き、風見の肩を借りている直子を見て、

「お前、どしたんだい」

と言った。

浴衣《ゆかた》地のアッパッパの裾から、シュミーズがのぞいていた。父親の男物のソックスに

突っかけサンダルという格好だった。

万事休すである。

こうなったら、中途半端はかえって惨めだった。自分の頭を滅茶苦茶にブン殴るように、風見にうちの中をみんな見せて、綺麗サッパリ忘れることにしよう。

「ちょっとお上りにならない？」

せいいっぱい陽気に言ったつもりだったが、言葉尻はすこし震えていた。

口に出しては言わなかったが、風見はかなり驚いた様子だった。

下が六畳四畳半に三畳。二階が四畳半に三畳。たしかに畳敷きの部屋ばかりだが、根太がおかしくなっているのと、ここ何年も畳替えをしていないので、歩くと、キュウキュウ鳴いたりブクブクと凹《へこ》んだりする。雨戸も、最後の一枚は、どうしても戸袋から出てこない。

おしるしばかりの庭には、松も楓も八つ手もあることはあるが、人間の背丈に毛の生えた情けないものである。手洗いに立ったから風見にもすぐ判っただろうが、南天は隣りの庭のものである。

「お風呂もあることはあるんですけどね、タイルが駄目になったもんで、ここのとこずっと銭湯なんですよ」

母の須江は風呂道具を下駄箱の上に置きながら言いわけがましく言っていたが、そんなことはもういいのだ。

暗い電灯の下に並んだ家族を見たら、大抵の男は嫌気がさすに違いない。

「直子がいつもお世話になってます」

てっぺんが里芋になった頭を下げて挨拶した父の周次は、ダランと伸びた、玄関の屋根にひっかかっていたのと五十歩百歩のアンダー・シャツ姿だった。娘の男友達が来ているのに、シャツを羽織ろうということも思いつかないのだろうか。人は好いのだが、口下手なたちで、挨拶が済むとあとは陰気に押し黙っている。

母親のいれてくれたお茶は、安物のせいか会社のよりひどい茶色をしていた。茶碗も無神経な代物である。父親の羽振りのよかった頃、母親がお茶とお花をやっていたのは事実だが、床の間には茶箱は積み上げてあっても花一輪ない暮しでは、ホラを吹いたといわれても弁解は出来なかった。

一番恥を掻《か》かせてくれたのは妹の順子だった。高校三年生だが、風見がお愛想のつもりだろう、詩が入選したときのことを話題にした。

「賞金の五万円、なんに費《つか》ったの？」

順子の、ねずみ色のねずみみたいな顔が、上目遣いに風見を見た。

「あたし、五万円なんて貰わないわ」

可愛気のない固い声だった。

「賞金は一万円です。やだな、あたし、ゴマかしてるみたいで」

出前の寿司が届いた。

近所でも一番安い「松寿司」のナミである。マグロは、解凍が間に合わなかったのか、口に入れると、生臭いシャーベットのようにジャリッとしていた。これでみんな終った。

直子は、帰ってゆく風見の背中に、

「さよなら！」

大きな声でそう言った。

風見は黙って頭を下げ、何も言わずに玄関の戸をしめた。建てつけの悪い戸は一度ではしまらず、母親の須江が土間におり、ガタピシいわせて、やっとしまった。


一週間たったが、風見から音沙汰がなかった。

それで当り前と諦めてはいても、気持のどこかで待っているとみえて、直子は金曜の夜はわざと仕事をつくり残業をした。金曜の夜にデイトをする習慣になっていたからである。

八時まで待ったが、遂に電話は鳴らなかった。階段ののぼりはいいのだが、くだりはまだ少し疼《うず》く左足をかばいながら、うちへ帰った。門をあけながら見上げると、若布のアンダー・シャツはまだそのままになっている。急に腹が立って来た。

「だらしがないにも程があるわよ。あんまり人に恥掻かせないでよ」

母親の須江も負けていなかった。

「人、連れてくるならくるって、言っときゃいいじゃないか。あたしだって遊んでるんじゃないんだから」

須江は、乳酸菌飲料の配達を内職にしていた。朝のうちに自転車で廻るのだが、外仕《そとし》事《ごと》のせいか髪は脂気をなくしてそそけ髪になり、皮膚も灼《や》けて粗くなっていた。

「こうなったら木の幹にクリーム摺《す》り込むようなもんだわ」

一切手入れをしないので、夫婦揃って坐っていると、首筋や手の甲だけ見ると、須江のほうが男に見えた。足許は、この間と同じ周次のお古の靴下をはいている。今日はダンダラ縞である。

「お客さんが来たときぐらい、それ脱いだらどうなの？」

「足許がキヤキヤするの」

更年期にさしかかったせいか、須江は足が冷えると言っていた。

「キヤキヤって何語よ」

「お母さんが英語使えるわけないだろう」

もう理屈は何でもよかった。やり切れない気持をぶつける相手が欲しかった。

「嫌がらせしてるんじゃないかな」

「あたしのことかい」

「あたしが結婚すると、困るもんね」

月給の半分をうちに入れていることをあてこすりにかかると、須江は先手を打ってきた。

「誰も困りゃしないよ。遠慮しないでどんどん行っておくれ」

母親のくせに、娘のさわられたくないところをグサリと突いてくる。粗くなったのは皮膚だけではないのだ。

「貰ってくれる人なんかいるもんですか。親の顔みたら、さっさと逃げ出すわよ」

「親はいつまでも生きちゃいないよ。本人の魅力の問題じゃないの」

ちゃぶ台の茶碗に手が伸びかけた。

思い切ってぶつけたら、すこしは胸も晴れるかと思ったが、直子の気をそらすように父の周次が空咳《からせき》をした。

「お母さんだって、好きでこうやってンじゃないよ」

あとは言わなくても判っていた。お父さんがちゃんとしていて、毎月入るものさえ入ってりゃ、もっとうちの中も自分も構えるのに、ということなのだ。

話がそこへゆくと、周次は決って碁盤を出し、石を置きはじめる。

周次は仕事運のない男だった。神武景気も高度成長も周次の横をすり抜けて通っていった。ひと頃は須江に稽古ごとをさせ、自分も謡を習うゆとりがあったが、転がる石のたとえ通り転がり落ちて、いまは須江の内職のほうが収入《みい》りが多い。

周次がいじけた分だけ須江のしぐさが荒っぽくなっていった。うちのなかも、目に見えて荒れてきた。

周次が、そっと石を置いた。

「お父さん」

今度は父に喰ってかかった。

「碁石ぐらい、パチンと置きなさいよ」

あたし、そういうの嫌いなのよ、と言いかけたとき、玄関で声がした。

「ごめんください」

風見の声だった。

「あれからすぐ北海道へ出張してたもんだから……」

くじいた足の具合を聞いてから、大きな四角い箱を突き出した。

「じゃがいも、嫌いかな」

大好き、と言おうとしたが、直子は鼻がつまって声が出なかった。いったん玄関に出てきた須江が、手洗所の前でダンダラ縞の靴下を脱いでいるのが目に入った。風見が帰ってから、直子は掃除機の先のほうを使って、玄関の屋根にブラ下っていた、若布のアンダー・シャツを取った。

「なにも夜中にやらなくたって、明日の朝だっていいじゃないか」

須江はそう言ったが、直子は朝まで待てなかった。妹の順子が小馬鹿にしたような顔をしたが、直子は少しも気にならなかった。

週末ごとに風見が遊びにくるようになった。

直子は、二人きりで外で逢いたいと思ったが、どういうわけか風見はうちへ来たがった。

ビヤホールで生ジョッキをあけると、直子を送りがてら寄って上ってゆく。お茶漬やカレーライスの残りものを出すと、お代りをしてよく食べた。

「近頃の若い人はしっかりしてるねえ。うちで食べりゃお金がかからなくていいものねえ」

「どういうつもり、してるんだろう」

須江は陰口を利いていたが、口ほど腹を立てていない証拠に、週末になると、独身の男の喜びそうな、煮〆めやおでんを用意するようになった。今までは、用にかまけて、おかずは出来合いのお惣菜やで間に合わせていたのだが、出汁《だし》をとって物を煮る匂いが台所から流れるようになった。

「もう来ないと思ったわ」

二人だけのときに、直子は思い切って言ってみた。

「どうして」

「だって……あたし、見栄はったから」

「見栄はらないような女は、女じゃないよ」

おぞましいとは思わず、可愛いと思ってくれているんだわ。直子は、嬉しいときには、白湯《さゆ》を飲んだように胸のところが本当にあったかくなることが判った。

夏が終って、庭や縁の下で虫が鳴くようになると、金曜日の晩は風見が来て食事をするのが習慣になった。

いつの間にか、風見の席が決っていた。今まで父の周次が坐っていた場所である。周次は横にどき、まだ開いていない夕刊を先に風見にすすめた。

風見は、ゆっくりとあぐらをかき枝豆や衣《きぬ》かつぎでビールを飲んだ。

相手をするのは、もっぱら直子と母の須江だった。はじめは、二階へ上ったきりだった臍《へそ》まがりの順子も、話し声に誘われたのかだんだんと下へ降りてきて、コップ半分のビールをなめるようになった。

酒の飲めない周次だけは、形ばかりのコップを前に、音をほとんど消したテレビのお笑い番組に見入っていた。

話相手といっても、直子も須江も陽気なたちではないし、取り持ちも上手なほうではなかったから、話に花が咲くという具合にはゆかなかった。

風見も、そう口数の多いほうではなかったから、話の跡切れることもあった。はじめのうち、直子は気をもんだが、すぐに取越苦労だと判った。

「ここへくると気が休まるなあ」

一日中コンピューターの音を聞いていると、ぼんやりした時間が一番のご馳走だと言った。

「それと、この匂いがいいんだなあ。田舎のうちと同じ、鰹節《かつおぶし》の匂いがするんだ」

「うちが古くなるとこんな匂いがするんじゃないんですか」

須江が言った。

「今や貴重ですよ。どこへいったって、目に染《し》みるようなアンモニア臭い新建材の匂いだから」

食事を終えると、「失礼」と言って、そのまま体をうしろへ伸し、畳に寝そべって深呼吸をした。

根太のゆるみはそのままだったが、風見のからだの下には飴色《あめいろ》の古畳の上に新しい花ゴザが敷かれていた。

床の間の茶箱は消えて、安物の一輪差しに花があった。茶の間の電球が明るくなっていた。

「風見さん、ひとりっ子なんですって」

直子は、須江が、話しかけながら、黒い茶筒の底に顔をうつし、脂の浮いた小鼻のあたりを、指の腹でそっと押えているのに気がついた。

母のこんなしぐさを見るのは初めてだった。

浴衣地のアッパッパに変りはなかったが、髪は小ざっぱりとまとめられていたし、男物の靴下はなく素足だった。

「お母さん、足許がキヤキヤするんじゃないの」

というと、

「ビールひと口飲んだせいかしら。血の循環がよくなったみたいよ」

こんな言葉遣いも、何年ぶりに聞くものだった。

内職仲間の手前、一人だけお上品な言葉だと気取っているみたいで仲間外れにされるからといって、乱暴な物言いをした。

小さな容器に入った乳酸菌飲料を、決められた場所に配達するという仕事のせいか、皿小鉢の置き方も手荒だったのが、此の頃は音を立てずに茶碗を置くようになった。

なんのかんの言っても、母親なんだなあ、と直子は思った。

娘が恥を掻かないように、せいいっぱい努力してくれているのだ。

妹の順子がプイと立っていった。

二階へ上って勉強するんならするで、風見にひとこと、声をかけてゆけばいいのに、と思っていたら、すぐにもどってきた。隣りの部屋へいって、座布団をとってきたのだ。

怒ったような顔をして二つ折りにした座布団を風見の頭の横に置き、またプイと出ていった。こんなしぐさも、順子としては上等の部類なのだ。

風見がくるたびに、この家は目に見えて明るくなっている。

取り残されているのは周次ひとりだった。


茶の間の柱時計が八時を打った。

「遅いわねえ」

須江が柱時計を見上げた。

直子と順子も、母にならって、時計を見た。

「直子。あんた風見さんと喧嘩でもしたんじゃないの」

「するわけないでしょ」

二人きりで逢っていないのだから喧嘩出来るわけもないのだ。

毎週金曜の六時半から七時の間に必ず来ていたのが、今日に限って連絡もなしで、顔を見せない。

すっかり用意の整った食卓を前に、三人の女は時計を見上げては気をもんでいた。

「まさか交通事故じゃあないだろうねえ」

「やだなあ、お母さん。縁起でもないことを言わないでよ」

散々気をもんでから、そういえば、お父さんもどうしたの、ということになった。

「煙草を買ってくる」

六時ちょっと前に、周次はそう言ってうちを出ていった。

風見がくるので、「キャビン」を買いに出たのだ。一度だけだが、風見が煙草を切らしたことがあった。そのときは、周次に「セブン・スター」をもらってのんでいたが、

「お父さんは、ほかのことはいいから、風見さんの煙草の心配だけしてて下さいな」

と須江に言われて以来、律義にその役を引き受けている。

「そのへんでパチンコでもしてるんじゃないの」

「二時間もパチンコしてるかねえ」

直子と須江の間に、いきなり順子が割って入った。

「お父さん、家出したんじゃないかな」

「家出？」

「なんだって風見さん、風見さんだもの。お父さん、面白くなかったのよ」

順子は、ちゃぶ台の上の布巾《ふきん》をめくり、おかずのつまみ食いをしながら、こう言った。

たしかに、初物の松茸《まつたけ》を貰えば、風見さんがみえたときまで取っておこうという按配で、ただでさえ影のうすい周次は、このところ居候扱いだった。

「お父さんにそんな度胸がありゃ、お母さん、こんなに苦労してやしないわよ」

須江はもう一度柱時計を見上げ、本当に遅いねえと言いながら、台所へ立っていった。

順子も玄関へ立ってゆき、おもてをのぞいているらしい。直子がひとり茶の間にポツンと残った。

あたしより、お母さんや順子のほうが気をもんでいる、と思った。悪い気持はしないが、自分の取り分を齧《かじ》り取られているような、ヘンな気分もすこしあった。

散々心配させたあげく、二人は十時を少し廻った頃、一緒に帰ってきた。

「ただいま！」

風見のどなり声と、玄関のガラス戸を叩く音に三人が飛び出すと、風見が周次を背負うようにして、揺れながら立っていた。周次は正体のないほど酔っていた。

「駅前でばったり逢ったんですよ。偶然だなあ、軽くひっかけてゆきませんかって誘われて……」

焼鳥屋でつい調子が出てしまった、と風見は弁解しながら、須江に手を貸して、マリオネットのこわれたようになった周次を寝床へ運んだ。

「偶然だなんて。お父さん、待ち伏せしてたんでしょ。風見さん、ひとり占めにしようと思って……」

文句を言いながら、須江は目ざとく風見のズボンの汚れをみつけていた。

「おズボン、どうなすったの」

ファスナーのあたりに、吐瀉物《としゃぶつ》の乾いたものがこびりついていた。直子は、すぐ目についたのだが、何となく言いそびれていたのだ。

「帰る途中で、お父さん、気分が悪くなって」

「申しわけありません。ちょっと浴衣、羽織ってて下さいな。すぐ始末しますから。直子、風見さんに浴衣！」

主役は須江だった。

縁側に出て浴衣を羽織り、ズボンを脱いだ風見は、そのへんで酔いが一度に出たらしく、壁に寄りかかって舟を漕ぎはじめた。

風見は泊ってゆくことになった。周次の横に須江の布団を敷き、そこへ寝かせた。茶の間の隣りの六畳なので、襖《ふすま》をたて切っても、二人のいびきが聞えてくる。

直子と順子は、食べ損った遅い夕食を食べはじめた。その横で、須江が風見のズボンの始末をしている。

「ひとがご飯食べてる鼻先でやることないじゃないの」

小さい声で直子は文句を言った。

本当に言いたかったのは、風見の身のまわりの世話は、あたしがするほうが自然じゃないの、ということだが、正面切って言いづらかった。

「そんなこと言ったって、すぐやらないと布地に滲《し》み込んで落ちなくなるもの」

ぬるま湯をしめした布で丹念に汚れを叩き出し、それからアイロンを掛けた。濡れたところに熱いアイロンをのせると、ジュウと音がして、酸っぱいような脂臭いような匂いが立ち昇った。

この家にはない若い男の匂いだった。

さりげなく箸を動かしてはいるが、順子もこの匂いを意識していることは、すぐに判った。

須江がアイロンの位置を変えるたびに、その匂いがした。

須江は真剣な顔で、人差し指にツバをつけ、アイロンの温度をためしている。色が白くなったような気がして、よく見ると、鼻の下から口許にかけてのひげみたいな濃いうぶ毛が消えていた。つながっていた眉のあたりもすっきりしている。剃刀《かみそり》で顔をアタったらしい。

「風見さんよォ。風見さんよォ」

周次が寝言を言っている。

言い方に馴れと甘えがあった。いままで、女たちの話題に加わらず、一人でテレビを見ていたのに、今晩一晩で何を話したのだろうか。直子は、また少し、自分の持ち分を齧り取られた気分になった。

アイロンをかけ終った須江が、

「あ、そうだ。枕もとにお水、置いとかなくちゃ可哀相だわ」

腰を浮かした。

「あたし、やる」

直子は一瞬早く立ち上り、台所から薬罐に水を入れ、コップを二つ盆にのせて持ってきた。

「はい、ありがと」

当然のように須江は受け取ると隣りの部屋へ入っていった。

音を殺して沢庵を嚙んでいた順子が、上目遣いに姉の顔を見た。知らん顔をしていたが、直子は、またまた自分の持ち分を齧られた気分になった。

布団の余裕がないので、その晩、須江は直子とひとつ布団で寝ることになった。

背中合わせに横になり、目をつぶったとき、須江が寝返りを打った。

あ、と思った。

「お母さん」

低い声で言っていた。

「お母さん、あたしの化粧品、使っているんじゃないの？」

このところ、減りが激しいと思っていた。妹の順子かと疑っていたが、須江だったらしい。

須江は答の代りにあくびをひとつすると、すぐに寝息を立てはじめた。

たしか火曜か水曜の夕方だった。直子は風見のオフィスを覗いてみた。

格別用があったわけではない。あと二、三日待てば、金曜になり、風見は夕飯を食べにうちへやってくる。だが、たまには二人きりで逢いたかった。金曜以外の日は、うんともすんとも言ってこないこともすこし寂しかったからだった。

退社五分前に受付で呼び出してもらうと、来客と一緒に下の喫茶室にいるという。

「仕事のお客様ですか」

「いえ、若い女の人です」

うしろから、鞭《むち》でひっぱたかれた気がした。

金曜以外の日に、逢ってくれないのはこのせいだったのか。

このまま帰ろうとゆきかけたが、これだからいけないんだ、と思い返し、顔だけでも見て帰ろうとビルの地下にある喫茶室をのぞいて仰天してしまった。

　風見の前に坐っていたのは、妹の順子だった。文芸部の仲間だというクラスメート二人も一緒で、一人は男の子である。

　テーブルの上には、若い人に人気のあるミニコミ誌の最新号が置かれていた。

「また詩が入選したの。今度は佳作だから賞金千円だけど」

　この近所にあるホールへ映画を見にきたので、ついでに風見さんに見せに来たのよ、という。

　食べているのがショート・ケーキと子供っぽいが、両側に男の子と女の子をしたがえて、足を組んで坐っていると立派な大人である。

　うちにいるときは、小さな声でボソボソと話すのに、今日はいやに晴れやかである。頰が上気しているせいかねずみそっくりだと思っていた顔まで女っぽく見える。知らない間に、胸も腰も、分厚くなっていた。

「順子ちゃん一人だと思っておりてきたら三人だものなあ。これじゃあ伝票で落せないよ」

　ぼやいてはいるが、風見も満更ではない様子である。

　それにしてもいつの間に順子ちゃんと呼ぶようになったのだろう。

　ミニコミ誌のページを開き、順子の詩をさがした。愛とセックスをテーマにした、ひどく観念的なものだった。

姉の恋人を自慢に思うからこそ、級友を引っぱって来たのだと思いながら、またしても直子は、自分の持株を一部別の名義に書き替えられたような、妙な気分を味わった。

朝から祭りばやしのテープが流れている。今までお祭りには、知らん顔で通してきた。寄附のほうもご免こうむる代り、御神灯もつるさない、お神酒所のまわりはよけて通っていたのだが、今年はご宗旨を替えたらしい。一見して素人の手入れと判るが、とにかく、鋏を入れた生垣と門のあたりに、御神灯が揺れていた。

金曜ではないけれどお祭りだから、と誘われて夕方やってきた風見は、自分のために新しいお祭り浴衣が整えられているのをみてびっくりしていた。

風見より直子のほうがもっとびっくりした。須江がこんなことをしたのは、はじめてのことだった。お金のかかること、手間のかかることは一切お断わりで、ここ何年も暮してきた筈である。

ただし浴衣は家族全員というわけではなかった。

「お父さんはお祭り好きじゃないから」

周次だけはなしである。

周次も、ごく当り前といった風で、

「留守番のほうが気が楽でいいよ」

ゆっくり行っておいで、と碁盤をひっぱり出して、石を置きはじめた。

揃いの浴衣に着替えた三人の女たちは、風見を囲むように人ごみの中を押されて歩いた。

須江も順子もよく笑った。

大して面白いとも思わなかった金魚すくいも、風見が一人加わると別のものになった。

順子はイカヤキを買い、風見はこんにゃくを三角に切って串に刺し、味噌をつけたおでんを懐しがって買い、食べながら歩いた。直子も、人ごみを幸い、風見にブラ下るようにして腕を組んだ。母と妹に見せたいというところもあった。

人ごみに押されたのか、着物を着つけない風見は、浴衣の裾前《すそまえ》が開いてだらしのない格好になってしまった。

「なんですよ。これじゃ七五三だわ」

須江は笑いながら、屋台のならぶ裏手の暗がりに風見を引っぱっていった。

くるくると帯を解くと、手早く浴衣を着せ直した。

「はい、ちゃんと立って。はい、よし！」

子供を扱うように、自分より首ひとつ大きい風見の尻をポンと叩いた。

騒ぎは、すぐそのあとに起った。

四人が固まって人の波に押されながら歩いていたとき、いきなり須江が金切り声を上げた。娘のような華やいだ声だった。

「あたしのこと、幾つだと思ったのかしら。五十三ですよ、五十三」

須江は痴漢にあったのだ。

「さわり方は図々しかったけど、痴漢としちゃ素人だわねえ。夜道一人で歩いてたわけじゃないのよ。そばにこんな若い娘二人もいるってのに、なにも選りに選って、五十三のお尻なでることないじゃないの」

くくくと鳩が鳴くような声で笑って、

「女を見る目がないわよ」

を繰り返した。風見も直子と順子もおつき合いに少し笑ってみせた。

須江の上気した頰には、化粧のあとがあった。蒸れて匂い立った香料の匂いは、直子の化粧台から失敬したものではなかった。須江は、自分で化粧品を買っていたのだ。何年ぶりのことだろう。

お揃いの絞り浴衣の衣紋を抜き加減に着て、風見にビールをつぎ、直子や順子にもついでくれた。また、くくくと笑った。

「いくらお祭りだって、娘の手前、きまりが悪いわよ。ほんと、人のこと、幾つだと思ってるのかしら。五十三よ、五十三」

「何べん同じこと言ってるんだ！」

どなったのは、周次である。

縁側で碁石をならべていたのが、突然びっくりするような大声で叱りつけた。

「いい加減にしないか」

周次のこめかみには青筋が浮き、碁石を持つ手が震えていた。

「やだ。お父さん、あたしに嫉妬《やきもち》やいてる」

シラケた雰囲気を救おうというつもりなのだろう、須江は笑いごまかして、またみんなにビールをついだ。

「お父さんこそ、いい年して、なんですよ」

嫉妬といわれてみると、周次は頭こそ里芋だが、男の顔をしていた。オドオドして、母の機嫌を伺い、風見に気を遣っていたいつもの周次ではなかった。この二人は夫婦だったんだな、と直子は気がついた。

気がついたことは、ほかにもあった。

夜風に乗って祭りばやしが聞えているせいか、うちの中が明るく弾んでみえた。

自堕落だったうちの中は、片附いていた。

床の間には菊があり、ビールのグラスも酒屋のおまけではない、客用のカットグラスを使っていた。

庭の松や楓や八つ手も、座敷の電灯が明るくなったせいか、勢いよくみえた。手洗所の前に南天こそなかったが、手水鉢《ちょうずばち》のところにひるがえる手拭いは、おろしたての新品である。

浴衣では肌寒い秋祭りだが、うちにはやっと春がめぐってきたのだ。

「春が来た　春が来た
どこに来た
山に来た　里に来た　野にも来た」

春は須江だけではない、周次にも、陰気だった順子にも、うち中みんなにやって来たのだ。

どなって大人気《おとなげ》ないと思ったのか、周次が碁石を置き、風見にビールをつぎに立ってきた。

「お父さんも、お相伴したくなったな」

グラスを持たせ、風見が酌をした。

「こうやっていると、家族だわねえ」

須江が風見を見て呟くように言った。

それから、ちょっと改まって、

「風見さん、そう思ってはいけないかしら」

直子は、のどがつまりそうになった。

こんな形で、こんなところで持ち出されるとは思っていなかったからだ。

風見は、すこし眩しそうな顔をして、三人の女を見てから、こくんとうなずいた。須江と順子、そして直子が詰めていた息をフウと吐き出した。

「じゃあ、来年の春でしょうかねえ」

須江のついだビールの泡が、風見のグラスいっぱいに溢れた。

周次は、三人の女を順に見て、それから低い声で呟いた。

「あんたも、大変だなあ」


次の木曜日の夕方。直子は喫茶店で風見を待っていた。

鏡に人待ち顔の自分の姿がうつっている。父は広告会社の重役だの、母はお茶お花の心得が、とつい見栄をはってしまったあの店である。

自惚れを差し引いても、あの時分にくらべると、少しは女らしく華やかになったような気がする。着ているものも、前みたいにドブネズミ色ではなくなったし、何よりも、相手が決ったという落着きが、内側から髪の毛や肌に艶を与えてくれるらしい。

風見が入ってきた。

煙草に火をつけるのを待って、直子は切り出した。

「毎週金曜日にうちへご飯食べにくるの、一週置きにして欲しいの」

風見が何か言いかけたが、直子はかまわずつづけた。口下手なのは自分でも判っていたが、これだけはどうしても言っておかなくてはいけない。

「うちへくると、どうしても、家族ぐるみでつき合うことになるでしょ。でも、それは結婚してからでいいと思うの。考えてみたら、あたし、あなたと一対一で、ちゃんとご飯食べたり話したりしたこと、なかったような気がするの」

風見はしばらく黙っていた。

鏡に、向き合った二人の姿がうつっていた。

「ぼくのほうが先に言わなきゃいけなかったんだけど……」

煙草の煙を吐いて、

「血液型がAB型のせいかな、どうも決断力がないんだ」

直子の目を見ず、鏡のほうを見て、

「このはなし……」

あとはピョコンと頭を下げた。

「自信がなくなった」

「ぼくには荷物が重過ぎる」

理由はその二言だった。

直子はぼんやりと鏡を眺めていた。

あの日、見栄をはって自分を飾って言ったときから、何だかこうなるような気がしていた。

父親の周次が、女たちを順に見て「あんたも大変だなあ」と言ったのは、三人の女を、花嫁を三人引き受けて大変だなあ、という意味だったのか。

鏡には、幾組かのカップルがうつっていた。

本心を言い合っている二人もいるんだなあと、また他人ごとのような気がしていた。

駅からうちまでは、のろのろと歩いた。

風見は、なぜ毎週うちへ来たのだろう。結婚する意志もないのに。見栄をはった直子を哀れに思ったのか。

根太のゆるんだ、ブクブクの茶色い畳。鰹節の匂いがするといっていた、古さ汚なさで、かえって気が休まったのだろうか。エリート揃いより、口下手で陰気な家族のほうが気が楽だったのか。

ひとりっ子だといっていたから、母や妹の味が嬉しかったのかもしれない。

ぼんやりと玄関の戸をあけると、順子が飛び出してきた。

引きつった顔で、

「お母さんが変なのよ」

須江は、茶の間の鏡台の前にうずくまっていた。

いつもの洋服の上に、新しい留袖を羽織った格好で頭を押し、

「頭が割れるみたいだ」

といって、潰れるように前のめりに倒れ、そのまま意識がなくなった。蜘蛛《くも》膜下出血だった。意識がもどらぬままに三日後に駄目になった。

羽織っていた留袖は、デパートで見たててきたばかりの安物だった。ヘソクリで買った早過ぎたこの買物は、納棺のときそのまま須江の経帷子《きょうかたびら》になった。


初七日が終った頃、直子は大手町の駅で、ばったり風見に出逢った。

「お」

バツが悪そうに手をあげた。

「みんな元気？」

実は、母が、と言いかけて、直子は口をつぐんだ。この人のおかげで、束の間だったがうちに春が来たのだ。

「直子さん、どうしたの。此の頃綺麗になったわねえ」

と言われたことがあった。

頑なな蕾だった妹も、花が開いた。

いじけていた父は男らしくなったし、母は女になった。

死化粧をしようと母の鏡台をあけた直子は驚いた。新しい口紅や白粉がならんでいた。

濃い目に化粧して、留袖を着せられた須江は、娘の結婚式に出かけるときのように美しかった。

「元気よ、みんな元気」

風見のなかで、もう少し母親を生かしてやりたかった。

「そうお。お母さん、あれから痴漢のほう大丈夫かな」

「大丈夫みたいよ、もうお祭り終ったから」

「そうか」

風見も笑い、直子も少し笑った。

「さようなら！」

自分でもびっくりするくらい大きな声だった。

解説——ニューヨークの向田さん

浅生憲章

昭和五十六年四月のある朝、向田さんと根津甚八さん、それに私を加えた三人組はセントラル・パーク沿いの道をアクターズ・スタジオへと急いでいた。二週間に及んだ『隣りの女』の撮影をようやく終えた私達はたった一日の休日をどうやって有意義に過すか、前夜、検討会を開いたのである。

ニューヨークのコーディネーターであり、かつてシドニー・ルメットの『質屋』の制作進行も務めたことのある、ボブ・コーエンというユダヤ系の大男が私達の相談に乗ってくれた。ニューヨークの業界に顔の広いボブは魅力的な二つのプランを提示してくれた。新作映画の撮影に入ったばかりのウディ・アレンのスタジオ見学と、『メソッド演技』の主唱者、リー・ストラスバーグのアクターズ・スタジオのレッスンを見に行くことの二つである。散々迷った挙句、私達は向田さんのこの言葉に従うことにした。「リー・ストラスバーグはもう八十過ぎでしょう。今、彼のレッスンを見ないと、もう二度と見れないかもしれないわ」

期待に胸ふくらませてアクターズ・スタジオの事務所に辿《たど》りついた私達三人組ではあったが、約束の十時を過ぎても、肝腎のボブが一向に姿を現わさない。業《ごう》を煮やして、ボブの自宅に電話をいれると、彼はまだ寝ていた。日本流の非人間的なスケジュールに一言の文句も言わずつき合ってくれたタフなボブだったけれど、撮影が終了した安心感のせいか、うっかりと寝過してしまったらしい。ボブは私に平謝りに謝ると、事務所の旧知のスタッフに私達の事をよしなにと頼んでくれたらしい。多少芝居がかった年増の女事務員が、熱心にスタジオの担当者とかけあってくれたのだが、申し訳なさそうに戻って来た。

彼女の言うところによると、この日は金曜日で一週間のレッスンのいわば〝おさらい日〟にあたり、生徒もリー自身もいつもより神経質になっているために、見学者はリー・ストラスバーグがスタジオ入りする十時前に必ずスタジオに入っていなければならない。従ってボブの寝ぼうでゴタゴタした私達はスタジオに入れないことになってしまった、という次第である。

私達三人組は、それでも諦めず、根津さんをダシにして食い下った。

向田さんと私「貴女は黒沢明の〝カゲムシャ〟を見たか」

女事務員「イエス」

向田さんと私「ここにいるジンパチ・ネズはその〝カゲムシャ〟にも出演している日

本の有数のアクターである」

女事務員「オー！」

このやりとりは彼女を興奮させ、今一度のアタックをしてはくれたのだが、原則の壁は破れず結局、我々三人組は空しくスタジオを後にせざるを得なかった。

そして、それから四カ月後向田さんはリー・ストラスバーグより先に逝《い》ってしまい、ストラスバーグも昨年の二月、八十年の生涯を終えた。

アクターズ・スタジオだけは、一つの手違いのために向田さんには門戸を開いてくれなかったけれど、ニューヨークという街は短い時間の間に、凝縮したいくつもの様相を向田さんに見せてくれたような気がする。ホテルの火事、レーガン狙撃事件、ブロードウェイでの窃盗事件。向田さんがニューヨークと肌が合ったのは、ニューヨークの持つこの凝縮と緊張のリズムのせいかも知れない。

考えてみれば、この凝縮と緊張という二つの言葉は向田さんとは切り離せないものだったのではないだろうか。

テレビの脚本はレギュラー番組の場合、一週間に一本の割合いで書かれている事が多い。しかし向田さんの場合は、打ち合せ、構想といった時間を抜くと殆《ほとん》ど一日で仕上げられたと言っていいのではないだろうか。一週間のうち六日間、向田さんは殆どペンを持たなかったような気がする。我々演出スタッフの言う〝遊んでいる〟時間である。

コンサートに出かけたり、絵を見に行ったりで、家に居ることは極めて稀であり、脚本督促の電話を何度いれても、我々が耳にするのは「私、向田ですが……」で始まる例の留守番の声のみであった。しかし、それは多分、向田さんが意識的に作り出した弛緩の時間ではなかったかと思う。その弛緩の中で向田さんは発想を転がしていたに違いない。〝遊び〟の時間が過ぎると向田さんは、まさに、ねじり鉢巻といった風情で原稿用紙に向う。たった一日の凝縮の緊張の時間の中から、向田さんは数多くの傑作を生み出していったのだと思う。向田さんが小説の分野で、短篇を志向したことも、きっとこの〝凝縮〟と無関係ではないと思われる。

向田さんは実人生の中でも、この凝縮と緊張を求めていたのだと思う。ダラダラとかノロノロとか言った言葉ぐらい、向田さんに不似合いな言葉はなかったと思う。

「三カ月でもいい、ニューヨークに住んでみたい」

ソーホーの画廊巡りをしながら、向田さんはこう言ったことがある。多分それはニューヨークの街に、自分と同じ体臭を敏感に嗅ぎとったからに違いない。

向田さんの訃報《ふほう》に接して、もう二年以上の歳月が経ち、今こうした文章を書きながらも、実はまだ〝向田さんの死〟という事実と折り合いがつかなくて困っている。

『隣りの女』が完成した後、次には『隣りの男』を作ろうと向田さんと話し合った。随分、長い間、待ってはいるのだが、『隣りの男』の脚本は未だ私の手元に届かない。督促の電話を入れようと、電話に手を伸ばしたい誘惑に駆られることがある。それは私だけではないらしく、私の在籍する演出部には、今でも向田さんの電話番号を暗記しているディレクターが何人かいるのである。

澤地久枝さんがニューヨークの五番街で、向田さんの歩いている後姿を見たと書かれていたことがあったが、出来るならば、私も五番街を歩いている向田さんにもう一度会いたいと思う。全身黒ずくめの姿で、多少前傾姿勢をとりながら、向田さんは歩いているのではないか。その歩調は東京では急ぎ足と映るかもしれないけれど、ニューヨークのリズムにはピッタリと合っているのだ。

もし五番街に行って、向田さんの姿を見かけることがなかったら。その時の失望感を思って、私は、あれからまだニューヨークには出かけられないでいる。

（TBS演出部）

［編集部註・この解説は、昭和五十九年の文庫化に際し、寄せられたものです。「隣りの女」はドラマ化され、昭和五十六年五月一日に放送されました。製作・TBS、演出・浅生憲章、出演・桃井かおり（サチ子）、林隆三（集太郎）、根津甚八（麻田）、浅丘ルリ子（峰子）他。向田ドラマでは、唯一の海外ロケ作品でした］

新装版　解説

中島淳彦

「寺内貫太郎一家」というテレビドラマが一九七四年に大人気となり、田舎の中学生だった僕も夢中になった。不思議な味わいのドラマだった。一見明るいドタバタ人情コメディだが、その中に何とも言えない暗さがあった。足の悪い長女だとか、その長女の訳ありの恋人とか……中学生には深い部分は理解できなかったが、そうした人生博物館的な暗さも魅力だったように思う。番組が終わって出版された同名の小説を買って、その辺りで作者が向田邦子という人であることを意識した。何しろそれまで、ドラマの作者が誰であるとか考えたことはなく、そんな仕事が世の中にあるという認識もなかった。ドラマを考え台詞を書く仕事をしている向田邦子という人、田舎の中学生にとってはちょっとした発見だった。

それから数十年が経ち、学芸会などで活躍していた僕はいつしか演劇を志すようになり、現在は東京で脚本家として仕事をしている。そしてある劇場のロビーで邦子さんの妹和子さんと偶然知り合い、向田邦子作のテレビドラマ「びっくり箱」を舞台化（二〇〇六年新宿紀伊國屋ホール他、出演・沢口靖子、余貴美子、永島敏行、草村礼子他）する際、舞台版の脚本を担当し、またこの原稿を書いている二〇一〇年秋には劇団文学座で向田邦子の青春期を描いた「くにこ」の脚本を頼まれている。そうした流れで今回この文庫本の解説を依頼されたのだと思うが、正直言って気が重い。何でも頼まれると一瞬嬉しいものだ。ついうっかり引き受けてしまった。しかし冷静に考えればもっと適任の方がいらっしゃるはずである。何を書いても向田邦子を愛する方々に怒られそうだ。ま、しかし、引き受けてしまったものは仕方がない。この解説の程度が低いからと言ってこの本の売れ行きを左右することもあるまい。和子さんからも「気楽に書くべし」とのご指示があった。そもそも解説の意味がわからない、本文を読めばわかるではないか。誰もこのページを読まないことを願って駄文を書かせていただくことにする。

ミシンを踏む音、内職、隣の声が筒抜けのアパート……懐かしいあの時代がふうっと蘇ってくる。考えてみればミシンを踏む音も内職も、もうすでに時代劇用語の響きだ。時の流れは本当に速い。どういうわけか僕は邦子さんをその作風から我が姉のように思い込んでいたのだけれど、実際の邦子さんは僕の母親の世代なのだ。母親の踏むミシンの音は僕にも記憶がある。邦子さんの作品の中でミシンは大切な小道具のひとつだ。カタカタと回転する音が、読者を物語の中に誘い入れ、踏んでいる女の心の音として響く。

僕は演劇を中心に仕事をしているけれど、実に演劇的だと思う。僕の書かせてもらった舞台版「びっくり箱」の中でも足踏みミシンにはたっぷりと活躍してもらった。邦子さんの作品の登場人物は長台詞でくどくどと自分のことを説明したりしない。的確な短い言葉や、例えばこのミシンの音で言葉以上のことを語ってしまう。うまいなあと思う。これはもう人間観察のなせる業《わざ》なのだろう。邦子さんのドラマや小説を見たり読んだりすると、筋書きや人物の感情を説明するのではなく、その「想い」や「匂い」をふっと浮かび上がらせることが大切なのだと思い知らされる。登場人物に何でも説明させてしまうのでは人間のドラマにならない。説明台詞や長台詞は役者さんだって嫌がるものだ。実感として口から出る言葉や行動が、ドラマを形作っていく。そうありたいものだ。

演劇の役者の中にも向田邦子のファンは多い。稽古場で女優達が向田作品のビデオを貸し借りしており、その感想などを述べ合っている。「こういう役やりたいわね」「そうよねえ」。完全に僕への当てつけである。女を書ける脚本家が世の中には少なくて困ると、女優達は言う。それはあなた方女自身のせいではないのか？　と思わないでもないのだが、そんなことを口にすると自分の命を縮めることになるので黙っている。「向田作品には芝居のしどころがあるのよね」と女優は言う。つまり役になりきって、実感として演技が出来るということだろう。「僕の台本には芝居のしどころがないのか？」と口に出かかるが「無い」と返事されたら困るのでますます僕は無口になる。

女優ばかりではない、男優もそうだ。向田作品に出てくる男は駄目な人が多い。そしてこの駄目男が愛情を持って描かれているので、役者にしてみれば「是非やりたい」となるのだ。ちょっと駄目な男が何故だかみんな好きなのだ。この本の中にも画家になれなかった麻田、家族を捨て伊豆で女と暮らす元校長の勇造、おでん屋の女と鶯谷で暮らす父などなど、魅力的に見える人物が揃っている。そうそう、この魅力的に見えるというところが大切だ。ただの女好きや、だらしないだけではない、人間の持っている愛嬌のようなものが無ければ、役者だって演じたくはないだろう。生きていた邦子さんが見つめ続けた様々な人間模様が、登場人物の内臓となり匂いのある息となり、魅力的な人物を形作っている。そこのところがしっかりしているから、時代が流れても向田作品は生き続けるのだ。ミシンの音も内職もすでに時の彼方だが、邦子さんの人を見つめる視線は、読者や演者の心を動かし続ける。「上野。尾久。赤羽。浦和。大宮。宮原。上尾。桶川。北本……」僕は役者ではないが、いつの日か麻田のように低音で駅名を言いつつラブシーンをしてみたい。あ、これはちょっと意味が違うか。

それにしても向田邦子の見つめた現実とはどれほどのものだっただろうかと思わずにはいられない。登場人物に注がれている、何とも言えない愛情のこもった視線。その視線は邦子さん自身が、現実の暮らしの中で受けた心の揺れや、傷のようなものと結びついているのだろう。そうでなければ向田作品は完成しない。父親のこと、恋人のこと、邦子さんの瞳が、何を見つめ、何を感じていたのか、男、女、家族、人のあれこれに直面し、ぐっと踏ん張る向田邦子……想像すると少し胸が痛い。

邦子さんは遅筆であったという。そこのところだけは僕も似ている。実はこの原稿も締め切りが過ぎてから書き始めている、すいません、いやいや僕のことはどうでもいい。しかし実は遅筆なのではない、書き出すまでに時間がかかるのだ。同業者の端くれとしてそこはよくわかる。自分の中でドラマを育てる、登場人物を膨らませる時間が必要なのだ。人間の子供だって十月十日は腹の中にいる。ドラマには何人もの登場人物がいる。十月十日では足りないぐらいだ。多少言い訳も含まれているが、書き始めればあっという間だ、苦しいがすぽんと出てくる。邦子さんに子供はない。しかし邦子さんがお腹を痛めた作品がある、作品の中のたくさんの魅力的な登場人物がいる。僕はいつまでもその人々とお付き合いさせていただきたいと願っている。あと二年で僕は、邦子さんが飛行機事故で亡くなった歳になる。年齢が近づいて思うことだが、邦子さんまだまだ仕事が出来たのに……もったいないことである。

残念なことに僕は向田邦子さんにお目にかかったことはない。この夏、邦子さんの命日に文学座「くにこ」公演の報告を兼ねて、出演者の角野卓造さん、塩田朋子さん、山本郁子さん、栗田桃子さん、演出の鵜山仁さんら文学座の皆さんと一緒に多磨霊園にお墓参りに行った。「御世話になります。邦子さんのことを書かせていただきます」と手を合わせ、耳を澄ませ、お墓の中から「あなた誰？」ぐらい聞こえないものかと思ったけれど、当たり前だが返事はない。それでも黙って目を閉じていたら、蟬の声に混じってミシンを踏む音が聞こえるような気がした。

（脚本家）

文春文庫

隣《とな》りの女《おんな》

定価はカバーに
表示してあります

2010年11月10日　新装版第1刷
2023年12月15日　　　　第16刷

著　者　向《むこう》田《だ》邦《くに》子《こ》
発行者　大沼貴之
発行所　株式会社 文藝春秋

東京都千代田区紀尾井町 3-23　〒102-8008
TEL 03・3265・1211㈹
文藝春秋ホームページ　http://www.bunshun.co.jp

落丁、乱丁本は、お手数ですが小社製作部宛お送り下さい。送料小社負担でお取替致します。

印刷・TOPPAN　製本・加藤製本　Printed in Japan
ISBN978-4-16-727722-2